D0812894

LE COUP DU PÈRE FRANÇOIS

DU MÊME AUTEUR

Dans la même collection :

Laissez tomber la fille.
Les souris ont la peau tendre.
Mes hommages à la donzelle.
Du plomb dans les tripes.
Des dragées sans baptême.
Des clientes pour la morgue.
Descendez-le à la prochaine.
Passez-moi la Joconde.
Sérénade pour une souris défunte.
Rue des Macchabées.
Bas les pattes.
Deuil express.
J'ai bien l'honneur de vous buter.
C'est mort et ça ne sait pas.
Messieurs les hommes.
Du mourron à se faire.
Le fil à couper le beurre.
Fais gaffe à tes os.
A tue... et à toi.
Ça tourne au vinaigre.
Les doigts dans le nez.
Au suivant de ces messieurs.
Des gueules d'enterrement.
Les anges se font plumer.
La tombola des voyous.
J'ai peur des mouches.
Le secret de Polichinelle.
Tu vas trinquer, San-Antonio.
En long, en large et en travers.
La vérité en salade.
Prenez-en de la graine.
On t'enverra du monde.
San-Antonio met le paquet.
Entre la vie et la morgue.
Tout le plaisir est pour moi.
Du sirop pour les guêpes.
Du brut pour les brutes.
J' suis comme ça.
San-Antonio renvoie la balle.
Berceuse pour Bérurier.
Ne mangez pas la consigne.
La fin des haricots.
Y'a bon, San-Antonio.
De « A » jusqu'à « Z ».
San-Antonio chez les Mac.
Fleur de nave vinaigrette.
Ménage tes méninges.
Le loup habillé en grand-mère.
San-Antonio chez les « gones ».
San-Antonio polka.
En peignant la girafe.
Du poulet au menu.
Le gala des emplumés.
Votez Bérurier.
Bérurier au sérail.
La rate au court-bouillon.
Vas-y, Béru!
Tango chinetoque.
Salut, mon pope!
Mange et tais-toi.
Faut être logique.
Y'a de l'action!
Béru contre San-Antonio.
L'archipel des Malotrus.
Zéro pour la question.
Bravo, docteur Béru.
Viva Bertaga.
Un éléphant, ça trompe.
Faut-il vous l'envelopper?
En avant la moujik.
Ma langue au Chah.
Ça mange pas de pain.
N'en jetez plus!
Moi, vous me connaissez?
Emballage cadeau.
Appelez-moi, chérie!
T'es beau, tu sais!
Ça ne s'invente pas!
J'ai essayé : on peut!
Un os dans la noce.

Hors série :

L'Histoire de France.
Le standinge.
Béru et ces dames.
Les vacances de Bérurier.
Béru-Béru.
La Sexualité.

Œuvres complètes.

Treize tomes déjà parus.

SAN-ANTONIO

LE COUP DU PÈRE FRANÇOIS

ROMAN SPÉCIAL-POLICE

ÉDITIONS FLEUVE NOIR
69, Bd Saint-Marcel - PARIS-XIIIe

A Luce Feyrer
et à Jacques Chabannes.
Avec toute mon affection

San-A.

Je frissonne à l'idée que des locdus de bas étage, des ambitieux sans scrupule, des amoindris, des refoulés, des invertébrés, des combinards, des zaprogains, des vicieux et des pommes-à-l'eau pourraient avoir la prétention de se reconnaître dans les merveilleuses pages qui suivent.

Cette histoire est fictive ainsi que tout son matériel. D'ailleurs la vie ne serait pas fichue d'inventer des trucs pareils.

Qu'on se le dise !

San-A.

CHAPITRE PREMIER

La voix était pâle, flageolante et un rien pleurarde. Je crus tout d'abord que c'était celle de Pinaud.

— Allô ! Je voudrais parler au commissaire San-Antonio.

— C'est moi.

— Dites-moi, monsieur le commissaire, vous avez bien fréquenté le lycée de Saint-Germain-en-Laye, n'est-ce pas ?

Cette allusion à mon brillant passé scolaire me fit dresser l'oreille.

— En effet, pourquoi ?

— Ici c'est Morpion, vous vous souvenez de moi ?

Je restai comme deux ronds de flan. Une bouffée nostalgique de salle de classe me fit frémir les naseaux. Morpion ! Le cher, le doux, le bon Morpion !

— Pas possible ! Comment allez-vous, monsieur le professeur ?

— Mieux, répond-il, d'où je conclus sans grand mérite qu'il venait d'être malade.

— Qu'est-ce qui me vaut la joie de ce coup de fil ?

Il se racla la gorge. C'était un tic. Tous les cinq ou six mots, il produisait un petit couac comique avec son gosier.

— Dites-moi, mon jeune ami...

Mon jeune ami ! Comme jadis, en classe. J'en eus un grand coup de tristesse douceâtre dans le violon.

— Dites-moi, mon jeune ami, est-ce qu'un policier aussi célèbre et occupé que vous l'êtes pourrait consacrer quelques minutes à un vieux bonhomme plus qu'à moitié moisi ?

J'éclatai de rire.

— En voilà une question ! Quand est-ce qu'on se voit ?

— Quand nous voyons-nous ? rectifia-t-il. Vous avez toujours eu un beau style mais un parler déplorable, Antoine !

Puis, revenant à ma question :

— Le plus tôt possible, espéra Morpion.

— Voulez-vous que j'aille chez vous ?

— Je n'osais vous le demander, je rentre de l'hôpital et j'ai les jambes en coton.

— O. K., j'arrive, donnez-moi votre adresse.

Morpion habitait rue de la Pompe. Et pourtant, je vous jure qu'il ne faisait pas Seizième !

-:-

— Sixième gauche ! me virgule la concierge, une imposante dame rasée de frais.

Je m'insinue dans l'ascenseur et tout en me laissant hisser je réunis mes souvenirs pour une conférence de presse.

Morpion, ç'a été mon prof de français en seconde et en première.

Je n'ai jamais su d'où lui venait cet irrévérencieux surnom. Des aînés l'avaient baptisé ainsi et je vous parie que s'il professe encore on continue de l'appeler Morpion. Il n'y a pas que les écrits qui perpétuent l'histoire !

Comme je referme la lourde de l'ascenseur, une porte s'entrouvre sur le palier et, dans l'entrebâillement, je découvre le bon vieux Morpion. Les quelque quinze années qui se sont écoulées depuis mon départ du lycée ne lui ont pas fait de cadeau. En l'apercevant, je me rends compte à quel point les enfants font de fausses estimations quant à l'âge des grandes personnes. A l'époque, je le croyais vioque, Morpion. Je le situais dans les croulants. Mais c'est seulement maintenant qu'il a de la boutanche, le pauvre biquet.

Son petit crâne chauve et pointu fait des vagues. Sa couronne de cheveux blonds est devenue grise. Ses paupières se sont alourdies et il a troqué ses lunettes d'or contre des bésicles à monture d'écaille. Il a une tronche comme un poing et il est plus pâle qu'un faire-part de mariage.

Une seule chose n'a pas changé : son accoutrement. A croire qu'il porte le même costar sombre aux revers trop larges, le même col de celluloïd blanc sur une chemise bleue reprisée, la même cravate noire en corde et les mêmes manchettes trop longues qui lui arrivent au ras des ongles.

— Eh bien, mon jeune ami ! fait-il de sa petite voix minutieuse et bêlante, vous avez changé depuis le lycée !

Je serre sa petite main fiévreuse et il me fait entrer dans son castel.

L'appartement n'est pas racontable. Faut vraiment être un vieux pédagogue pour crécher ici. Les meubles croulent sous les livres. Des bouquins jonchent le sol et s'empilent dans le couloir. C'est une sorte de lèpre monstrueuse qui bouffe tout. Des vieilles nippes, du linge sale, de la vaisselle souillée s'accumulent dans les endroits les plus inattendus.

Mais pire que le désordre, ce qui frappe, c'est l'odeur. Une demi-douzaine de greffiers m'en rendent compte. On fait de l'Holiday on ice sur les résidus de ces messieurs.

— Le ménage n'est pas fait, m'avertit Morpion, excusez-moi. Mais je suis rentré ce matin de l'hôpital.

— Qu'aviez-vous ?

— Une glomurite distendue de la membrane perchée, m'explique-t-il.

— C'était douloureux ?

— Au début on ne s'en rend pas compte, mais progressivement les symptômes apparaissent. On commence par faire un foutriquet latent du capuchon et ça évolue très vite, jusqu'à ce qu'on assiste à un affaissement de l'Huhéner. Lorsque le professeur Bhandemhoux m'a opéré, j'étais sur le point de faire un culbutus du croupionus.

Tout en m'expliquant sa maladie, il a débarrassé un fauteuil des livres, des chats et des excréments qui l'encombraient.

— Asseyez-vous, mon jeune ami. Je peux vous offrir un petit quelque chose ?

— Volontiers, accepté-je.

Et je me gondole comme une fête nautique sur le Grand Canal.

— Si je m'étais douté qu'un jour vous me paieriez à boire, dis-je.

— Et moi, riposte Morpion en souriant, si je m'attendais à ce que le plus dissipé de mes garnements devienne un as de la police. Ça vous a pris comment, cette vocation ?

— Pendant les récréations, on jouait beaucoup au gendarme et au voleur et c'était toujours moi qui faisais le voleur, alors j'ai voulu changer...

Il sourit.

— Et c'est un travail, ça ? s'étonne-t-il.

— Pas exactement, mais c'est un joli passe-temps. Un passe-temps dans lequel on risque sa peau...

Morpion déniche deux verres aux parois encroûtées.

— Bast, fait-il, la vie, mon jeune ami, c'est si peu de chose. Elle n'est possible sur cette planète qu'entre moins vingt et plus quarante degrés. Or, le soleil qui nous l'assure dégage une température de cinq millions de degrés ! Rendez-vous compte de notre précarité. Que ce bougre-là fasse un léger écart dans un sens ou dans un autre et notre cher vieux globe devient glace ou cendres.

Il prend une bouteille dans une corbeille recelant pas mal de choses bizarres et emplit nos deux verres.

Je voudrais bien pouvoir essuyer les bords du mien avec mon mouchoir avant de boire, mais Morpion ne m'en laisse pas le temps.

— A votre santé, mon jeune ami.

Nous trinquons. Je goûte et je parviens à réprimer une grimace.

— Pas mauvais, n'est-ce pas ? demande Morpion.

— Excellent, renchéris-je, qu'est-ce que c'est ?

Il tourne le flacon vers moi. Je constate

alors qu'il s'agit d'un dépuratif. J'en fais aimablement la remarque à mon ancien prof et celui-ci hausse les épaules.

— Bast, fait-il, ça ne peut pas nous faire du mal.

Et là-dessus il vide son godet. Je commence à me demander pourquoi Morpion a fait appel à moi. Jusqu'ici il ne s'est guère pressé d'éclairer ma lanterne. Comme il ne se décide pas, je lui pose la question. Il a un sourire modeste.

— Je suis un littéraire, mais cependant je n'aime pas le mystère, dit-il.

Il ramasse un bouton de sa chemise qui vient d'affirmer son indépendance en roulant sur le plancher.

— Lorsque je me suis décidé à entrer à l'hôpital, murmure le disséqueur de Pascal, j'ai embarqué mes chats chez une vieille amie, puis j'ai fermé mon appartement et mis la clé dans ma poche....

Il me regarde comme s'il hésitait à poursuivre.

— Et alors ? l'encouragé-je, de plus en plus intrigué.

Son regard triste et myope s'emplit d'une candeur infinie.

— Alors, mon jeune ami, j'ai donc passé deux mois dans cet hôpital pour ne regagner mon logis que ce matin. Auparavant j'ai fait un détour afin d'aller récupérer mes petits compagnons, ajoute-t-il en désignant les greffiers. Nous arrivons tous à la maison, joyeux de nous retrouver chez nous, j'entre, et, aussitôt, quelque chose me surprend...

— Quoi ? croassé-je.

Il lève la main, comme il le faisait jadis pour réclamer le silence.

— Quelque chose d'indéfinissable, qui m'a troublé.

— Quoi ? coassé-je, espérant confusément que ma voix de grenouille serait plus efficace que ma voix de corbeau.

— Un tic-tac, répond-il du tac au tac.

— Une bombe ? espéré-je.

A l'extrémité des manchettes, ses doigts pianotent nerveusement.

— Non : la pendule !

Il me montre une petite pendulette neuchâteloise sur la cheminée.

— Et alors ? béé-je.

Son regard se charge de commisération.

— On fait carrière dans la police et un pareil prodige vous laisse indifférent ? ricane Morpion

— Mais quel prodige ?

— Cette pendule a besoin d'être remontée tous les huit jours. Mon appartement est resté fermé deux mois. Or la pendule marchait lorsque je suis revenu...

— Vous pensez que quelqu'un s'est introduit chez vous en votre absence ?

— Ça m'en a tout l'air. Vous voyez une autre explication, vous?

— Peut-être, riposté-je. Supposez que votre pendule se soit arrêtée peu de temps après votre départ, puis qu'à votre retour elle se soit remise en route...

Il hausse ses chétives épaules.

— Mon jeune ami, vous êtes en train de douter de la Suisse, et moi de la police. Ainsi, vous vous figurez que ma jolie pendule cesse de fonctionner dès que j'ai le dos tourné pour se hâter de reprendre sa besogne au moment où je rouvre ma porte ? C'est drôle !

Il me cavale, Morpion, avec son ironie à la graisse de règle à calculer.

— Ecoutez, Prof, attaqué-je, il arrive que

des horloges s'arrêtent, non ? Supposez que la vôtre ait eu un petit pépin. Elle stoppe. Puis vous rentrez, vos chats qui sont très vadrouilleurs, d'après ce que je vois, la bousculent en rentrant et ce léger choc suffit pour la refaire partir. L'argument est valable !

— Non !

— Non ?

— Non !

— Pourquoi ? comme disent les Anglais lorsqu'ils refusent d'employer le mot because ?

Les petits yeux de Morpion se mettent à friser.

— Parce que la pendule indiquait l'heure exacte, mon jeune ami. Avouez que le hasard pousserait ses fantaisies un peu loin en faisant redémarrer une pendule arrêtée à l'heure juste ?

Ça me cloue le bec.

— Certainement, monsieur le professeur. Alors prenons le problème autrement. Quelqu'un est venu ici en votre absence. La concierge peut-être ?

— Elle n'a pas les clés. Mais je lui ai néanmoins posé la question, ce qui a beaucoup fâché la digne personne. Non, mon jeune ami, ma cerbère n'est point entrée céans.

— Votre porte était-elle forcée ?

— Non.

— Vous a-t-on dérobé quelque chose ?

Il hausse ses maigres épaules.

— Que me volerait-on ? Je ne possède que des livres.

Il me verse une seconde rasade de dépuratif, machinalement je la bois.

— Voyons, monsieur le professeur, dis-je, réfléchissez : pourquoi diable quelqu'un se serait-il introduit chez vous ? Uniquement pour remonter votre pendule ?

— Mais c'est cela le mystère, justement ! s'égosille brusquement Morpion. C'est à cause de ce point d'interrogation que j'ai fait appel à vous, mon jeune ami ! *Pourquoi est-on venu chez moi en mon absence ? Et pourquoi a-t-on remonté ma pendule ?*

Plutôt marrant comme situation, les gars, vous ne trouvez pas ? Un monsieur fait appel à la Rousse et lui dit : « Je veux savoir qui a remonté ma pendule pendant que j'étais à l'hosto! »

Y a de quoi se l'enfermer dans une cage

à oiseaux et se l'exposer quai de la Mégisserie, non ?

— Vous n'avez relevé aucune trace suspecte ? je questionne pour la forme.

Faut avouer que les traces suspectes dans ce capharnaüm passent aussi inaperçues que des gardiens de la paix aux abords de l'Elysée.

— Mais non, sourit Morpion, lequel a suivi sans escale la donnée de ma pensée, mon désordre était intact.

— Avez-vous remonté la pendulette ?

— Oui, pour me rendre compte. Je n'ai eu à donner que quelques tours de remontoir. D'après mon estimation, elle a été remontée voici deux à trois jours.

— Vous me permettez de visiter votre appartement ?

— Faites !

Le palace de Morpion se compose de deux pièces, cuisine, salle de bains. Il y a des livres dans la baignoire, sur la table de la cuistance, dans le porte-pébroques de l'entrée et dans les vouatères. J'ai beau examiner le sol, les murs, le plaftard, je ne dégauchis rien. C'est l'échec, mes frères. Tout à fait entre nous et votre cataplasme de farine de lin, le père Morpion doit rouler sur la jante. Il a toujours été un peu évidé de la noisette, le cher Prof. Je l'ai vu venir plus d'une fois au lycée avec les boutons de braguette pas synchrones. Lorsqu'il voulait remplir son stylo, c'était le grand régal, car l'encrier se renversait immanquablement sur un paquet de copies. A mon avis, tout à l'heure, en revenant de l'hosto, il a remonté sa pendulette distraitement et un instant plus tard, il ne s'en est plus souvenu et s'est mis à croire au prodige ! Sacré Morpion, va ! A son âge, la vie prend une autre dimension.

M'étant assuré que tout était O. K. dans le gourbi du vieux coupeur de montagne-en-quatre, je décide de me prendre par la pogne et de m'emmener promener.

— Je vais réfléchir à votre problème, monsieur le professeur, lui promets-je.

Il a un petit regard sceptique.

— Mon jeune ami, fait-il, je sais très exactement ce qui se passe dans votre tête.

Un léger frisson me remonte des semelles au bulbe rachidien via le fignedé.

— Vraiment ! dis-je piteusement.

Morpion bêle un petit rire d'enfant triste.

— Vous êtes en train de penser que je radote, poursuit Morpion. Vous vous dites que c'est moi qui ai remonté cette pendule sans y prendre garde, n'est-ce pas ?

— Mais pas du tout, protesté-je avec effarement.

— Ecoutez, Antoine, fait sévèrement Morpion, vous mentez aussi mal qu'autrefois. L'histoire de la grenouille dans ma serviette, c'était vous, n'est-ce pas ?

— Mais, monsieur le professeur, bégayé-je, retrouvant instantanément ma psychologie idiote d'écolier.

— Il y a prescription, soupire Morpion, alors avouez !

— O. K., Prof, c'était moi.

— Et le fluide glacial sur ma chaise aussi ?

— Peut-être bien, reconnais-je.

— Et le bleu de méthylène dans l'éponge du tableau ?

— Je ne m'en souviens plus, Prof.

— Moi si : j'ai eu un complet gâché.

Il vrille son doigt sur ma poitrine.

— Et maintenant, avouez que vous me prenez pour un bonhomme ramolli ?

— Absolument pas, monsieur le professeur. Je crois seulement que vous êtes distrait. Vous rappelez-vous le jour où vous nous aviez fait un cours de cinquième, ayant complètement oublié que vous vous trouviez dans une classe de seconde ?

— Bien sûr, marmonne Morpion.

— Et la fois que vous aviez mis votre col et vos manchettes à même la peau ?

— Ah oui ?

— Prof, quand on oublie de mettre sa chemise, on peut aussi bien oublier qu'on a remonté sa pendule. Allez, ne soyez pas troublé ; l'essentiel est que rien n'ait disparu de chez vous.

Je lui tends la main.

— Je vous laisse. Si un autre mystère surgissait, n'hésitez pas à m'en avertir. Ça m'a rudement fait plaisir de vous retrouver. A propos, vous exercez toujours ?

Il cligne de l'œil.

— Je suis à la retraite depuis quatre ans, mais je donne des cours dans un internat religieux, histoire de rester dans le bain.

— Un vieil athée comme vous ! m'exclamé-je.

Il me virgule son petit œil malicieux.

— Rassurez-vous, je leur parle beaucoup de Voltaire, de Rousseau et de Karl Marx.

On se sépare et je descends directo chez la concierge. La vaillante dame astique les carreaux de sa loge avec le derme d'un chamois mort. Je l'attaque sec.

— Dites-moi, chère madame, vous savez que le professeur Maupuy s'imagine qu'on s'est introduit dans son appartement pendant son absence ?

— Je sais, répond-elle d'une voix rogue.

— J'aimerais avoir votre opinion sur la question.

— Vous êtes quelqu'un de sa famille ? demande-t-elle.

— Non.

— Alors mon opinion, la voici !

Elle applique son index sur sa tempe et donne deux tours dans le coffrage de sa boîte à couenneries.

— Merci du renseignement, fais-je, fort civilement.

Je sors, heureux de respirer l'air léger de Paname après m'être farci l'atmosphère confinée de Morpion's house.

CHAPITRE II

Ma Jag sport type E est stationnée à quelques mètres de l'immeuble. En m'installant au volant, je lève mon regard étincelant d'intelligence vers les fenêtres de Morpion. Ce petit bonhomme surgi du passé a remué en moi je ne sais quelle fibre délicate et — vous l'avouerais-je ? — j'ai les larmes z'aux z'yeux. Sa pauvre figure blême fait une tache derrière les vitres sales de sa croisée. Je lui adresse un geste affectueux qu'il ne voit pas, because ses lotos façon taupe. Je presse le démarreur et les 22 bourins se mettent à piaffer sous le capot de ma brouette. Juste au moment de démarrer j'ai un petit sursaut, mes frères. Tandis que j'adressais à Morpion le signe dont auquel j'ai fait allusion plus haut, mon subconscient toujours à la pointe de l'actualité, a enregistré un petit détail bizarroïd. Il lui a fallu un dixième de seconde pour le transmettre à ma turbine. Je coupe le contact et je file un coup de périscope en direction du sixième. J'aperçois, noué à l'appui de la fenêtre, un petit rublan blanc. Il flotte doucement dans la brise printanière. Je le considère un moment, puis mon regard va, audelà des toits, jusqu'aux nuages bossués qui rendent l'horizon funèbre.

J'y lis la vérité. Morpion n'a pas eu la berlue. Pourquoi, soudain, suis-je convaincu, alors que jusqu'à cet instant je tenais les dires du vieux prof pour du radotage d'amoindri ?

Un bout de ruban attaché à une fenêtre et voilà que ma gamberge modifie son itinéraire.

Je ressors de ma chignole comme un dingue et je remonte chez Morpionibus. Il n'est pas autrement surpris de me découvrir sur son paillasson.

— Je savais que vous reviendriez, me dit-il.

— Vraiment, Prof ?

— Vous avez toujours été ainsi, Antoine. Chez vous, le premier mouvement n'est jamais le bon. Vous agissez et vous pensez ensuite. Le temps de descendre mes six étages et vous avez réalisé que le père Maupuy est distrait mais pas gâteux !

Au lieu de lui répondre, je vais jusqu'à sa fenêtre. Je l'ouvre et je détache le ruban. C'est un ruban très simple, comme ceux qui servent aux confiseurs pour décorer leurs boîtes de friandises.

— C'est vous qui avez lié ce ruban à la barre d'appui, monsieur le professeur ?

Il hausse les épaules.

— Vous plaisantez !

J'entortille le morceau de soie autour de mon doigt. Il n'est pas très sale, ce qui prouve qu'on l'a placé depuis peu à cette barre d'appui.

Morpion a saisi un gros chat gris et le caresse affectueusement sans cesser de me regarder.

— Vous avez aperçu ce ruban d'en bas ?

— Oui.

— Voyez-vous, mon jeune ami, je sais que quelqu'un a séjourné chez moi. Ça n'est pas seulement à cause de la pendule. Lorsque je suis entré, j'ai été frappé aussi par l'odeur... Je ne l'ai pas reconnue.

— Parce que pendant deux mois vos chats n'ont pas souillé l'appartement ! bougonné-je.

— Je l'ai cru, admet Morpion, mais il y avait autre chose. Ce n'était pas une absence d'odeur familière qui choquait mon sens olfactif, mais au contraire la présence d'une odeur absolument inhabituelle. Inhabituelle et... désagréable. Une odeur plutôt âcre...

Je me mets à renifler. Ces saloperies de matous ont perverti l'atmosphère. Et pourtant je crois déceler des relents d'autre chose... Des relents de...

— Prof, je balbutie. Je crois que vous avez raison... Ça sent la poudre.

Il relève ses lunettes. Ses yeux deviennent instantanément deux gros poissons exotiques.

— La poudre ? fait-il, abasourdi.

— Il me semble... C'est une odeur que je connais bien.

Je renifle encore. Est-ce un effet de mon imagination ? Je ne le crois pas.

Morpion remet ses bésicles en place.

— Saperlipopette, dit-il, si l'on avait tiré

des coups de feu dans mon appartement, ça se verrait, non ?

— Pas si l'on a récupéré les douilles, Prof.

— Mais... les balles ?

— Elles ont peut-être été tirées, DE votre appartement sur quelqu'un se trouvant à l'extérieur.

Je m'accoude à la barre d'appui et je regarde la rue paisible. Tout est infiniment tranquille et quotidien.

— Des coups de feu, cela s'entend ! jette Morpion, dans mon dos.

— Lorsque l'arme qui les tire est munie d'un silencieux, ça ne s'entend pas beaucoup !

Mon œil sagace explore le trottoir d'en face. J'avise un porche imposant sommé d'une hampe sans drapeau. Un macaron de fer est fixé à la hampe. D'où je suis, il m'est impossible de distinguer les lettres peintes sur le macaron.

— C'est une ambassade qui se trouve en face de chez vous, m'sieur Maupuy ?

— Non, c'est le Consulat Général d'Alabanie.

— Voyez-vous...

Mon regard étudie toujours aussi intensément la façade. Elle paraît très innocente, je dois en convenir.

C'est de la bonne façade parisienne, en pierre de taille, avec de larges fenêtres pourvues de persiennes. Les volets de l'une d'elles sont fermés.

— A quel étage se trouve le consulat ?

— Au troisième, répond Morpion.

Justement l'étage de la fenêtre aux volets clos.

Je m'apprête à quitter mon poste d'observation lorsque quelque chose me fait tiquer. Je m'abstiens de vous dire ce dont il s'agit, toujours soucieux de ménager mes effets.

— Vous n'auriez pas des lunettes d'approche, par hasard, m'sieur Maupuy ?

— J'ai des jumelles de théâtre.

— Vous voulez bien me les prêter ?

Il opine, se gratte le lobe, et part à la recherche de ce précieux instrument d'optique. Il le découvre dans sa cuisine, à l'intérieur d'un pot de faïence marqué « Farine ».

Ce sont de petites jumelles à carapace de nacre. Leur puissance est très modeste, néanmoins elles grossissent plusieurs fois. Je me consacre aux volets fermés. Par les fentes latérales de ceux-ci, j'aperçois une tache blanche à l'intérieur. Cette tache, je m'efforce de la délimiter et j'y parviens. Elle est carrée et occupe la partie centrale de l'encadrement. Pas d'erreur : il s'agit d'un morceau de carton dont on s'est servi pour remplacer une vitre brisée. Ladite vitre aurait été pulvérisée par une ou plusieurs balles que ça ne me surprendrait pas.

Je rends ses jumelles à Morpion.

— Vous avez découvert quelque chose, mon jeune ami ?

Son jeune ami le met au courant de sa découverte. Le prof hoche la tête à deux reprises, ce qui a toujours été chez lui le signe d'une profonde réflexion.

— Vous estimez donc qu'un individu s'est introduit chez moi afin de mitrailler le Consulat d'en face ?

— C'est cela même, Prof. Des gens ont su votre absence et ils sont venus s'embusquer dans votre appartement à cause de sa position stratégique.

— Vous pensez que ces gens ont tué quelqu'un ?

— Peut-être. Je pense que vous avez mis le doigt sur une curieuse affaire.

Morpion ne se rengorge pas. C'est un vieux philosophe pour qui l'existence est une vague récréation un jour de pluie. Les hommes, tels des élèves, sont entassés frileusement sous un préau et regardent tomber la flotte en attendant l'heure de rentrer sous terre.

— L'assassin aurait placé un ruban à la barre d'appui de ma fenêtre et remonté ma pendule ?

— Probablement.

— Vous avez une hypothèse concernant ces deux actions plutôt surprenantes ?

— Pas encore, Prof, mais ça peut venir.

Je lui retends la pogne.

— Cette fois je vous laisse. Ne parlez à personne de cette histoire, je vous prie.

— Qu'allez-vous faire ?

— Aviser.

Mon laconisme ne le choque pas. Il chope un de ses greffiers dans ses bras et m'escorte jusqu'à la lourde en caressant l'animal.

CHAPITRE III

Le Vieux a écouté mon récit sans broncher. Le dos droit, les mains à plat sur le buvard, l'œil couleur des mers du Sud, il semble rêvasser.

— C'est intéressant, décide-t-il enfin. Ainsi, selon vous, on aurait tiré dans une fenêtre du consulat ?

— Oui, monsieur le directeur.

— Aucune plainte n'a été déposée... Vous savez que nos rapports ne sont pas des meilleurs avec l'Alabanie ?

J'essaie de suivre les méandres de sa pensée.

— Attentat politique, d'après vous ?

— Je suppose.

— Et les gens du consulat auraient gardé bouche cousue ?

— La preuve...

Un silence un peu plus long qu'un rouleau de ruban adhésif nous sépare momentanément ; puis le Vioque se met à pianoter son sous-main.

— Occupez-vous de cela, San-Antonio.

Je n'en espérais pas moins.

— A quel titre, monsieur le directeur ?

Je lui balance ça, manière de le faire réagir car je suis déjà certain de la réponse. Effectivement, cette dernière ne se fait point attendre.

— A titre officieux, bien entendu. Mais tenez-moi au courant au fur et à mesure.

— A vos ordres, patron !

Je quitte son bureau sur un petit salut plus ou moins militaire. La porte capitonnée de cuir de son antre me bat les miches, comme si elle m'incitait à me remuer le prose.

Plus pensif qu'une sculpture de Rodin, je descends chez moi. Béru et Pinuche y jouent à la belote en buvant du vin rouge. Je m'amène en plein carré de dames. Il appartient au Gros, lequel ne se tient plus de joie.

— Les frangines m'ont toujours porté bonheur, affirme l'Enflure.

Insensible à leurs jeux, je décroche mon

bigophone pour sonner le labo. C'est Magnin qui me répond.

— Dites voir, mon jeune ami, l'attaqué-je, parodiant Morpion, auriez-vous dans votre équipe un homme capable de remplacer un carreau ?

Ma question l'éberlue.

— De remplacer un quoi ?

— Un carreau à une fenêtre. Il faut savoir découper la vitre aux dimensions, la mastiquer etc. Bref, ça n'est pas à la portée de n'importe qui.

Magnin fait avec la bouche un petit bruit que d'autres font autrement.

— Non, je n'ai pas de vitriers dans mon équipe...

— Dommage !

— On ne peut pas savoir tout faire, proteste le Rouquin.

Je raccroche. C'est alors que le Révérend Pinaud tourne vers moi sa figure de constipé résigné.

— Si ça peut te dépanner, fait-il, je sais poser des carreaux, San-A.

— Vraiment ?

— Dans mon jeune âge, j'ai travaillé

dans une entreprise de peinture et j'ai appris à manier le diamant.

— Wonderful, aimable vieillard. Alors au travail !

— Minute ! s'insurge le Gros. Je suis z'en train d'administrer une ramonée mémoriale à ce Môssieur et je veux pas qu'il prenne la tangente avant que j'y aie fait toucher les deux épaules.

— Le service commande, Béru !

Dans un mouvement de mauvaise humeur, le Gros envoie ses brèmes au travers de la pièce.

— Au plus que ça va, au plus que j'en ai marre de ce métier ! décrète-t-il. Si on ne peut pas avoir dix minutes de tranquillité, c'est la fin de tout !

-:-

Pinuche en vitrier, c'est un spectacle à ne pas manquer. Lorsque vos enfants s'ennuient le dimanche après-midi, passez un coup de grelot au Débris qui se fera un plaisir de leur exécuter son numéro.

Vêtu d'une veste bleue, coiffé d'une casquette de camionneur américain à longue visière, son éternel mégot jaune collé à la lèvre, Pinuche coltine allègrement le chevalet supportant des vitres d'inégales dimensions. Il tourne le coin de la rue et se dirige vers le Consulat Général d'Alabanie, nanti de mes instructions. Je compte énormément sur son air gâteux pour enlever le morcif. Il doit se présenter chez le consul en prétendant qu'il a été demandé par téléphone. Il se peut qu'on l'envoie chez Plumeau. Mais il se peut aussi qu'un larbin sans défiance le drive jusqu'à la pièce aux volets fermagas. Dans cette hypothèse, le Révérend devra remplacer le carreau brisé tout en inspectant sérieusement — et discrètement — les lieux.

Au volant de notre chignole stoppée à bonne distance, nous attendons. Sa Majesté et moi, la suite des événements.

Le Gros a cessé de rouscailler et contemple avec attendrissement la silhouette chétive de son compagnon.

— Pinuche, murmure-t-il, c'est pas le mauvais type. Ce qu'il a, c'est qu'il a pas beaucoup d'énergie.

Le personnage ainsi jugé disparaît dans l'immeuble du consulat.

— Tu crois que tes lascars vont se gaffer d'un coup fourré ? demande l'Enflure.

— Je ne saurais te répondre, soupiré-je. Dans cette affaire j'avance à tâtons. Nous n'avons que des suppositions. Tout cela est tellement fumeux. Et puis, travailler dans le corps diplomatique, c'est délicat.

Un moment s'écoule. Béru sort de sa poche une demi-saucisse qu'il se met à mastiquer délicatement.

— C'est le reste de ma choucroute de midi, explique-t-il. Elle était si tellement copieuse que j'ai seulement pas pu la finir.

Je lui virgule un coup de coude. Les volets viennent de s'ouvrir à l'étage du consulat.

— On dirait qu'il a gagné le canard ! rigole Béru.

Effectivement, Pinaud apparaît dans l'encadrement de la fenêtre. De loin, je le vois briser le vieux mastic avec un petit marteau à tête pointue afin de dégager les bords du cadre. Il travaille avec application, le bon Chpountz. Juché sur une chaise, il joue les piverts. Le bruit de ses coups de marteau parvient jusqu'à nous malgré le brouhaha de la circulation.

Lorsqu'il a préparé son cadre, Pinuche descend de son perchoir afin de tailler la vitre. Il disparaît de notre champ visuel. Comme c'est long d'attendre ! J'espère que le cher Détritus emploie bien son temps. Un peu baderne, bien sûr le Pinuchet, mais il a l'œil de faucon lorsqu'il le faut. Rien ne lui échappe sinon quelques borborygmes.

Un temps assez longuet s'écoule. Le voici qui regrimpe sur sa chaise, un carreau neuf entre les doigts. Il se penche pour l'appliquer dans le cadre de la fenêtre, mais à cet instant le digne homme perd l'équilibre. Il lâche sa vitre qui se fracasse, bat l'air de ses bras et bascule par-dessus la barre d'appui. Béru et moi poussons un même cri de détresse, d'impuissance et de désespoir. Trois étages en chute libre avec ouverture retardée, il faut se les faire. Adieu, Pinaud ! Le pauvre chou tournoie lamentablement. Dans la rue le populo pousse des cris d'or frais. Je ferme les yeux. Je refuse l'inévitable. Je veux m'abstraire, me séparer de cette cruelle réalité, ne pas voir mourir Pinaud, ne pas entendre le bruit abominable de son écrasement sur le trottoir.

Lorsque je rouvre les mirettes, je distingue confusément une masse sombre à terre, cernée déjà par une foule avide d'émotions fortes. Béru s'élance comme un dingue. Vous me croirez si vous voulez (et si vous ne voulez pas, allez vous asseoir sur le paratonnerre du coin) mais j'ai les jambes aussi molles que les bijoux de famille d'un membre de l'Institut. Impossible de les remuer. Je ne les sens plus. Je pose mon front contre mon volant. Je voudrais pouvoir pleurer. Pinuche, mon bon Pinuche... Finir ainsi, et sur mon ordre ! Je reste prostré un bon bout de temps. Bérurier revient.

— Il est mort, fait-il, tué net...

Un froid terrible, voisin du zéro, absolu, m'engourdit.

— Ce n'est pas possible, articulé-je faiblement.

— Hélas, balbutie le Gravos, quant à ce qui concerne Pinuche, j'ai bien l'impression qu'il a l'épaule cassée.

Je mate la frime impossible de l'Hénaurme.

— Comment cela ?

— Il est tombé sur un gardien de la paix. Le pauvre poulaga a été ratatiné recta. Heureusement pour le Pinuche, ça a amorti le coup. Après ça, on pourra plus dire qu'y a pas d'entraide dans la Rousse, hein ?

— Et tu dis que Pinaud est sauf ?

— L'épaule, je te dis... Il a même pas perdu conscience... Qu'est-ce qu'on fait ?

— Rien pour l'instant, affirmé-je ; laissons les choses suivre leur cours.

— Tu en as de bonnes !

— Le commissariat du quartier va enquêter, c'est normal. Nous nous mettrons en rapport avec eux. Nous devons rester dans l'ombre, Gros.

— Et Pinaud ?

— Voilà une ambulance, il va être conduit à l'hosto ; on le rejoindra là-bas.

— Comme tu voudras, bougonne le Gonflé, mais tu ne m'ôteras pas de l'idée qu'il y a du louche dans cet accident.

— Apparemment, non. Pinaud était seul sur sa chaise lorsqu'il a basculé.

— C'est vrai qu'il commence à se faire vioque, le pauvre, admet le Valeureux.

CHAPITRE IV

— Fracture de l'omoplate gauche, fracture de la cheville droite, fracture du pouce droit, luxation du poignet gauche et fêlure du bassin, annonce le toubib de service.

— Ce pauvre Pinaud, c'est un vrai biscuit sec, s'attendrit Béru.

— Il va vous falloir longtemps pour réparer ce monsieur ? je demande à l'interne.

— Il en a pour deux bons mois !

— On peut lui parler ?

— Vous pouvez, on a fini de le cimenter.

Nous pénétrons dans une chambre à quatre lits. Pinuche occupe le pageot du fond. Il ressemble à une borne kilométrique sur laquelle on n'aurait pas encore peint les distances. Il est un peu pâlichon, le cher bonhomme. En nous apercevant, il esquisse un mince sourire à travers sa moustache.

— Vous n'auriez pas trouvé mon râtelier ? siffle-t-il. Je l'ai perdu en tombant et il a dû glisser sur la chaussée.

Quand il jacte, sans ses ratiches-bidon, on dirait qu'on actionne un vaporisateur vide.

— Si le mien t'irait, je te le prêterais, assure cette belle âme bérurienne, mais avec ton museau de rat y te faut sûrement du sur mesure !

Pinaud proteste faiblement. Il dit qu'il préfère être affligé d'un museau de rat que d'une hure de sanglier. Il remercie Béru pour sa proposition, et lui conseille de se coller son dentier dans un endroit de sa personne qui paraît à première vue inapte à l'héberger.

C'est vous dire si le vieillard est en forme, malgré sa chute.

— Que s'est-il passé, Pinuche ? tranché-je opportunément.

— Tu veux bien me gratter l'oreille ? sollicite le Débris, lequel, je crois utile de vous le rappeler, est momentanément privé de l'usage de ses membres.

Je souscris à sa demande, d'un index

compatissant. Apaisé, le Révérend se gratte la gorge.

— Ce qui m'est arrivé, fait-il, je peux pas vous le dire vu que je me suis aperçu de rien.

— Comment cela ?

— J'étais sur cette chaise. Et puis j'ai basculé. Il m'a semblé que la chaise bougeait et pourtant il n'y avait personne auprès de moi.

— Tu étais seul dans la pièce ?

— Non, il y avait un larbin. Mais le gars se trouvait à au moins deux mètres de là.

— Comment t'a-t-on reçu au consulat ?

— Bien. J'ai sonné à la porte de service. Un valet de chambre m'a ouvert. Je lui ai dit que je venais remplacer la vitre...

Il s'arrête, esquisse une grimace et demande :

— Ça vous ennuierait de m'arracher un poil du nez. J'ai envie d'éternuer.

C'est le Gros qui, technicien de la chose, réalise cette délicate ablation. Ses gros doigts fouisseurs écartent les narines de Pinuche. Ses ongles endeuillés s'emparent d'un poil et le ravissent. Béru brandit son trophée dans la pâle lumière de l'hôpital.

— C'était pas çui-là, proteste Pinaud. Enfin, passons...

Avec lui, il faut avoir toutes les patiences avec l'art et la manière de s'en servir. On a toujours besoin d'un tire-bouchon et de vaseline pour accoucher Pinaud.

— Bon, activé-je, tu as dit que tu venais remplacer la vitre, après ?

— Après ? Le domestique m'a fait entrer dans un couloir en me demandant d'attendre. Il est allé causer à un type qui téléphonait dans une pièce voisine. Je pense qu'il s'agissait d'un secrétaire. Le gars causait fort et n'en finissait pas de tartiner. Quand il a raccroché, le valet de chambre l'a mis au courant. Le bonhomme s'est pointé. C'était un jeune gars brun, tout habillé de noir avec une figure pâlotte. Il m'a demandé qui m'avait appelé. Je lui ai répondu ce que tu m'avais dit de dire : que je n'étais qu'un employé et que c'était mon patron qui m'envoyait. « Peut-être que je me suis trompé d'étage ? » ai-je ajouté.

Pinaud se tait encore. Jamais, au grand jamais, il ne sera fichu de débiter un rapport sans faire douze escales.

— Vous seriez gentil de me gratter le front, demande-t-il.

Je le gratte. Béru ricane :

— J'espère que t'as pas des morbachs, gars, autrement je me tire !

— Et ensuite, Pinaud ?

— Le type en noir a paru hésiter, et puis il m'a conduit dans la pièce aux volets fermés.

— Quelle genre d'endroit est-ce ?

— Un bureau. Un grand bureau avec des moulures, des meubles Louis XIX et tout... Il y avait un carton à la place de la vitre brisée.

— Tu as remarqué quelque chose d'insolite ?

— Tout était en ordre ; par exemple, une chose m'a surpris...

— Quoi ?

— Il y avait un châle sur le bureau ministre. Un grand châle brodé avec des franges. Il était étalé sur le meuble... Ça faisait bizarre.

— C'est tout ?

— Non, attends. Toujours sous le bureau, on avait décousu deux ou trois bandes de la moquette et à cet emplacement on voyait le plancher.

— Intéressant, fais-je.

— Tu trouves ? s'étonne Bérurier.

— Et comment ! Suppose un instant qu'un tireur ait craché un chargeur depuis la maison d'en face sur quelqu'un qui se serait tenu au bureau ?

— Eh bien ?

— Il est probable que des balles se seraient fichées dans le bureau. Il est probable aussi que la victime serait tombée de son siège et qu'elle se serait saignée sur la moquette, non ?

— Pas mal raisonné, apprécie l'Obèse, qui ne craint pas de rendre à César ce qui appartient à sa concierge ; pas mal raisonné du tout. T'as pas la matière grise qui fait roue libre aujourd'hui. C'est pas pour te vanter, mais tu m'as l'air en forme.

Cet hommage me va droit au cœur tout en épargnant mon visage.

Nous prenons congé du dear Pinuche au moment où le cher homme commence à éprouver une démangeaison dans le fondement.

-:-

Le commissaire est absent, mais son secrétaire nous reçoit avec tous les Edgars dus à notre rang. C'est un petit jeune homme myope et instruit, ça se voit immédiatement aux rayures de sa cravate.

— Ah ! fait-il, l'affaire du vitrier ? Un banal accident qui a causé, hélas ! la mort d'un de nos agents.

— Vous avez interviewé le personnel du consulat d'Alabanie ?

— Du moins le valet de chambre qui se trouvait dans la pièce. Le vitrier était un homme d'un certain âge, assez tâtillon. Il était monté sur une chaise délicate pour effectuer la pose de son carreau. Un pied de la chaise a cédé sous son poids et cet imbécile est passé par la fenêtre.

— Vous avez vu la chaise en question ?

— Si fait. Il s'agit d'un siège Napoléon III, en bois tourné noir avec incrustations de nacre. C'était de la folie de se jucher sur un aussi chétif support.

Un brin maniéré, le secrétaire, non ? Il poursuit :

— Généralement, les vitriers se pourvoient d'un escabeau.

— Tandis que lui il s'est pourvu en cassation, rigole le Gros que le verbe et les manière de notre interlocuteur ne laissent pas d'indisposer.

Il me claque l'omoplate.

— Conclusion, c'est bel et bien un accident.

Je fais la moue.

— Elle est un peu trop hâtive, ta conclusion, Béru.

Je m'empare du bigophone et j'appelle l'hôpital où l'on vient de stratifier Pinaud. Une infirmière s'informe de mes désirs et je la supplie d'aller demander à Pinuche à quoi ressemblait la chaise sur laquelle il était monté. Elle paraît surprise, mais ma qualité de poulardin-chef et ma voix de velours ont raison de ses hésitations et elle va au chevet du brisé.

— T'es vraiment comme saint Thomas, ricane l'Affreux.

L'infirmière m'annonce deux minutes plus tard que Pinaud était grimpé sur une chaise de cuisine obligeamment fournie par le larbin du consulat. Satisfait, je raccroche.

Béru, qui s'était permis de prendre l'écouteur annexe, fait une bouille qui ressemble à une lessive de pauvre en train de sécher.

— Comment t'as deviné ?

— Pinaud est bien trop tâtillon pour confier sa triste carcasse à du Napoléon III, dis-je.

— Ce qui revient à dire ?

— Que les gars du consul l'ont fait basculer et qu'ils ont sacrifié le pied d'une chaise de style pour accréditer la version de l'accident.

Le secrétaire de police qui m'avait laissé le libre usage du biniou réapparaît.

— Quelque chose ne va pas, monsieur le commissaire ?

— Au contraire, fais-je. Tout va on ne peut mieux.

-:-

Dans la voiture, Béru me pose la question qui lui chatouille les muqueuses.

— D'accord, gars, c'est de la mise en scène. Mais comment qu'ils ont fait passer le Pinuche par-dessus bord puisque le domestique se trouvait à deux mètres de lui ?

— La chaise se trouvait sur un tapis et le domestique n'a eu qu'à tirer les bords de ce dernier. Ou bien un second personnage s'est amené en douce par-derrière... Les possibilités ne manquent pas.

— Et à ton avis, pourquoi qu'ils ont voulu effacer le père Pinaud ?

— Parce que personne au consulat n'ayant demandé de vitrier, son arrivée a paru plus que suspecte.

Mon explication ne satisfait pas entièrement le Mastar.

— C'était tout de même pas une solution. En le butant, ils ne faisaient que compliquer les choses, réfléchis. Ça renforçait nos soupçons et ça donnait un prétexte officiel à la police pour visiter les lieux.

L'argument me frappe. C'est pas tellement gland ce que dit le Gravos, bien que ce soit lui qui le dise. Après tout, qu'est-ce qu'ils risquaient en laissant remplacer le carreau, ces braves gens ? Beaucoup moins qu'en retuant. Ce calcul de singe me déroute.

— T'es chargé, Gros ?

— J'ai ma poinçonneuse à bidoche, oui. Biscotte ?

— Tu vas aller faire un tour officiellement au consulat.

— D'accord. Qu'est-ce que j'y dirai aux Alabaniens ?

— Que tu es flic et chargé d'un complément d'enquête car le vitrier a repris connaissance et déclare qu'on l'a poussé. Tu verras bien comment ils réagiront...

Le Gros se marre.

— D'ac.

— T'as pas le traczir, non ?

Du coup il se fâche, tout violet.

— Dis, San-A., tu m'as déjà vu avoir les flubes ? Laisse-moi seulement usiner et je te prie de croire qu'ils vont m'en raconter de quoi remplir la première page du *Parisien Libéré* !

— Mollo tout de même, hein, Béru ?

— J'ai du doigté, toutes les dames t'en causeront.

— Et surtout ne leur fais pas d'allusion à la mitraillade fantôme.

— Mais, ma parole, tu me prends pour une patate ! s'indigne le Valeureux. Je te dis que je connais mon métier ; depuis le temps, t'aurais tout de même pu t'en apercevoir !

CHAPITRE V

— Je ne vous dérange pas, monsieur Morpion ?

Je crois que c'est la première fois que j'appelle le prof par son sobriquet (à molette) Je me mords les lèvres, mais Maupuy ne sourcille pas. Il a l'habitude. N'est-ce pas ainsi, d'ailleurs, qu'il s'est rappelé à mon bon souvenir ce matin ?

— Pas le moins du monde, mon jeune ami.

— Vous étiez chez vous lorsque le vitrier...

— Oui, mais hélas je ne me trouvais pas à ma fenêtre. J'ai entendu un choc sourd, des cris et une rumeur de foule. Quand je me suis précipité, il était trop tard...

— Je vais vous redemander vos jumelles ; le spectacle continue en face ; on fait matinée et soirée...

Il retrouve les lunettes d'approche dans un seau hygiénique provisoirement vide et me les tend. Je m'embusque derrière le rideau déchiré de sa fenêtre. En face, les volets se sont refermés. J'espère que le Vaillant saura les faire rouvrir. Avec quelle volupté mon regard acéré se faufilera alors dans cet antre diplomatique ! D'aucuns d'entre vous, parmi les plus glandulards, se demandent certainement pourquoi je n'opère pas moi-même la petite visite au consulat puisque ma curiosité est à ce point survoltée. J'admets exceptionnellement que leur surprise est valable. Seulement, voyez-vous, bande de végétariens, je me conserve pour la bonne babouche, comme disait un Arabe de mes relations. San-Antonio, c'est la brigade d'élite, le matamore, la super-vedette (ne craignez rien pour mes chevilles, j'ai mis mes bandes Velpeau) : il n'intervient qu'à bonessian (comme les Arméniens).

Les jumelles braquées, j'attends.

— Vous prendrez bien une tasse de cacao avec moi ? murmure Morpion.

— Volontiers, accepté-je, fort distraitement.

Les volets s'ouvrent, en face. J'avise la

trogne vultueuse du Gros. M. Bérurier est en grande conversation avec un type habillé de noir en qui je reconnais le sécrétaire dépeint par Pinuche. J'abandonne ces deux personnages afin d'explorer le fond de la pièce. Dans une pénombre grise, j'aperçois un bureau ministre aux bronzes éteints. C'est plutôt un bureau sinistre ! Le châle qui le recouvre lui donne l'aspect d'un catafalque. Par exemple, contrairement à ce qu'a révélé le Débris, il y a un tapis sous ce meuble et non point le parquet nu. Je recàdre Béru et son partenaire. Ces messieurs discutent véhémentement. Si le brouhaha de la rue n'était pas si fort, je percevrais sûrement leurs paroles. La conversation dure un quart de plombe environ, ensuite de quoi, le Gravos prend congé.

— Voilà votre cacao ! m'annonce le gentil Morpion en me cloquant dans les paluches une tasse pleine d'un liquide fumant.

Sans méfiance, je goûte le breuvage.

— Vous êtes sûr que c'est du cacao, Prof ? bredouillé-je.

Morpion boit une gorgée et secoue la tête calmement.

— Non, je me suis trompé : c'est de la

farine de lin, mais qu'importe ? L'essentiel est de se sustenter, mon jeune ami. La gourmandise est une forme d'embourgeoisement.

— Peut-être, conviens-je, mais pourtant l'idée ne vous viendrait pas de vous faire un cataplasme avec du Banania ?

Et sur cet argument assez péremptoire, je cours rejoindre le Gros.

-:-

C'est un Béru plus pensif qu'une statue de Bouddha que je découvre, affalé dans la bagnole. Son nez violacé ressemble à une fraise oubliée dans un Comice agricole après qu'elle eut obtenu le premier prix.

— T'as pas l'air content, Béru ? souligné-je de but en blanc.

— J'y suis pas, rétorque-t-il de but en noir.

— A cause de quoi ?

— A cause d'à cause !

La pertinence, la concision, la puissance évocatrice de sa réponse n'échapperont à personne. Quant à moi, elle m'éblouit.

— Tu es en pleine possession de ta

langue, Béru, admiré-je. Pas une de ses subtilités, pas une de ses nuances ne t'échappent. Tu la manies comme un manchot manie une raquette de tennis. C'est l'accomplissement suprême d'une civilisation qui s'exprime par ton groin. La démarche de la pensée française a, grâce à toi, une vigueur encore jamais égalée.

« Comme je voudrais pouvoir célébrer ta hardiesse verbale en composant une ode à ta gloire. Que n'ai-je le dixième de tes facilités pour glorifier les neuf dixièmes qui te resteraient !

Ça le soûle un peu, Béru. Son front aussi étroit qu'un ruban de machine à écrire rétrécit encore. Son œil sanguinolent s'ensanglante davantage.

— Si t'estimes que c'est le moment de débloquer, moi je veux bien, fulmine le Mastar. A ce petit jcu je crains personne.

Je me soumets sans combattre.

— Alors, Grosse Pomme ? Cette visite consulaire ?

— Consulaire toi-même ! Je me suis laissé fabriquer, Gars. Ces macaques m'ont vendu une salade du diable. Ce qu'ils sont fortiches ! Hou la la, ce qu'ils sont fortiches !

— Exprime...

— Pour commencer, ils m'ont dit qu'ils n'avaient jamais appelé de vitrier, c'est costaud, non ?

— J'apprécie.

— Pas mal, en effet.

— Deuxio, ils m'ont expliqué que Pinaud était monté sur une chaise de cuisine pour préparer la pose du carreau. Ensuite il est descendu afin de découper la vitre et en remontant pour la poser il s'est gouré et a pris une autre chaise qui se trouvait à promiscuité. Cette explication répond à nos objections. Quand je te causais qu'ils sont forts !

— Tu as dit que le vitrier prétend qu'on l'a poussé ?

— Tu parles !

— Qu'ont-ils répondu ?

— Ça les a fait rire. Le zig en noir, dont au sujet duquel causait Pinaud, m'a dit que le vitrier devait être ivre et qu'il n'avait qu'à déposer une plainte en bon uniforme si ça lui chantait. Il paraît vachement sûr de lui, tu sais...

— Parle-moi du bureau.

— Y a le châle étendu dessus, par contre ils ont mis un tapis dessous. J'ai voulu soulever le châle, mais le secrétaire s'est mis à pousser des cris de beurre frais comme quoi je me trouvais en territoire alabanien et que j'avais pas le droit d'outrepasser mes fonctions. Moi, tu me connais ? C'est pas l'instruction qui me fait défaut, Dieu merci, mais pour ce qui est du Droit j'ai des lagunes. Alors j'ai préféré écraser d'autant que tu m'avais recommandé de...

— O. K., fils ! Tu as bien fait. Une ultime formalité et ce sera tout pour tout de suite.

— De quoi t'est-ce qu'il s'agit ?

— Va interviewer gentiment la concierge du consulat, histoire de savoir si le consul crèche ici ou bien s'il ne s'agit que de locaux professionnels.

Docile, le cher Béru s'éloigne de nouveau. C'est un bon toutou auquel on peut jeter la balle autant de fois qu'on le désire : on est certain qu'il la rapportera.

-:-

— Conclusion ? demande le Vieux.

Il est neuf plombes du soir, ce qui, chez les chefs de gare, équivaut, à 21 heures. Le Boss paraît un brin fatigué. J'ai idée qu'il devrait se mettre un peu au vert de temps à autre, histoire de se démiter les soufflets. A force de croutonner dans son burlingue il finit par devenir inhumain. Je vous parie un foie de veau contre la foi d'un dévot qu'il n'a pas vu un brin d'herbe depuis près de vingt piges. L'univers, pour lui, c'est des classeurs, des dossiers, des flics... Faudrait être Dante pour raconter ce qui se passe dans sa tronche.

— Conclusion ? répète-t-il de sa voix pareille à une allumette rebelle qui dit crotte à son grattoir.

— Conclusion toute officieuse, monsieur le directeur, rectifié-je.

— Naturellement.

— Selon moi, il y a eu lors de ces quatre derniers jours un attentat contre un membre du consulat. Des tireurs se sont embusqués chez le professeur Maupuy et ont mitraillé quelqu'un dans le bureau faisant face au domicile de mon ancien prof. Pour des raisons « x », les gens du consulat ont gardé la chose secrète. Ils ont même poussé la discrétion jusqu'à ne pas faire remplacer la vitre pulvérisée par les projectiles. Qui a été tué ? Mystère ! Quelqu'un même a-t-il été tué ? Cela reste à déterminer. En tout cas, la victime a saigné puisqu'ils ont décousu une certaine surface de moquette. Lorsque Pinaud s'est présenté, déguisé en vitrier, ils n'ont pas été dupes et ont voulu le neutraliser définitivement. Je pense qu'ils ne l'ont pas pris pour un flic, mais plutôt pour un membre du clan adverse qui est en guérilla avec eux.

Le big boss (1) opine.

— Curieux tout de même qu'ils se soient résolus à une pareille extrémité, ce pouvait être dangereux.

— Les faits sont là.

Ils sont même un peu là, les gars. Comme j'achève ces belles paroles, le bigophone du Vieux se met à gazouiller. Le Tondu décroche.

— J'écoute !

Et il écoute en effet. Il écoute même de plus en plus. Ce qu'on lui bonnit doit le passionner vilain car sa figure devient pa-

(1) En français dans le texte.

reille à un masque funéraire. A la fin, il remet le combiné sur sa fourche.

— Eh bien, voilà qui ne manque pas d'intérêt, mon cher San-Antonio, me dit-il de sa voix gourmande de vieux matou.

J'attends la suite.

— Un individu habillé en infirmier s'est introduit à l'hôpital Beaujon et a revolvérisé le voisin de lit de Pinaud. Le malheureux est mort, tué net.

Il n'a pas achevé que je suis déjà à la lourde.

— San-Antonio ! me hèle le Dabe, tenez-moi au courant.

CHAPITRE VI

Je préfère vous dire qu'il y a un drôle de remue-ménage dans l'hosto, mes frères ! Ça foisonne dur dans le secteur. Les journalistes et leurs flashes s'en donnent à cœur joie, malgré les protestations du personnel hospitalier. Heureusement, des matuches radinent, qui virent ces envahisseurs à coups de pèlerine.

— Ça vous ennuierait de me gratter le dessus du crâne ? supplie Pinuchet. Figurez-vous que ces émotions m'ont déclenché une crise d'urticaire !

Béru lui laboure le dôme de ses griffes puissantes. Soulagé, Pinaud bat des paupières en guise de remerciement.

— Que s'est-il passé ? je demande.

Le tendre Débris renifle et refoule du bout de la langue un coin de sa moustache qui lui titillait les lèvres.

— Je dormais. J'ai entendu un bruit de noix écrasées. J'ai ouvert les yeux et aperçu une silhouette blanche qui s'enfuyait. Il y avait un nuage de poudre dans la chambre. Ces messieurs (il désigne ses voisins de chambre terrorisés) et moi-même toussions à en perdre le souffle. L'assassin avait mis un silencieux à son arme.

Je m'adresse aux deux autres voisins de lit : d'aimables vieillards en réparation.

— L'un de vous, messieurs, a-t-il vu l'assassin ?

— Moi, fait le plus âgé.

Il est gros, jaune, avec un crâne chauve et blanc.

— J'ai cru que c'était un garde de nuit, je n'y ai pas pris attention, chevrote ce trois quarts de siècle en me contemplant.

— Et alors ?

— Il s'est approché de tous les lits et nous a tous regardés les uns après les autres.

L'émotion lui noue la gorge.

— Et ensuite ? insisté-je.

Le malade me désigne le pageot fatal. Il se dresse sur un coude pour regarder la funeste couche. En voyant le lit vide il le devient.

— Une fois là, il a sorti un revolver de sa poche et s'est mis à tirer sur notre compagnon de salle.

— Sans lui adresser la parole ?

— Sans un mot. D'ailleurs, le pauvre dormait.

— Dans un sens, remarque l'éminent Bérurier, c'est une belle fin. Moi je sais que si j'aurais le choix pour choisir, je choisirais de clamser pendant la dorme. Tu te réveilles chez Saint-Pierre, sans bavure. Il te cloque ton auréole avant que t'aies pigé ce dont à propos de quoi t'est-ce qu'il s'agit et c'est tout juste si tu y refiles pas vingt balles de pourliche biscotte tu le prends pour un loufiat de restaurant...

J'immobilise le Gros au milieu de ses considérations pertinentes. M. Bérurier, c'est le genre de navigateur qui n'est pas toujours aligné sur le méridien de Greenwich.

— Où est le corps ? je demande à une petite infirmière belle comme le jour où je suis allé aux fraises avec ma cousine Yvette.

— A la morgue de l'hôpital.

— J'aimerais lui rendre une petite visite de politesse !

La douce enfant ne se formalise pas de la légèreté de mon langage. Avec un mignon sourire en forme de violette elle m'entraîne dans les couloirs de l'hosto. On prend un ascenseur conçu et réalisé pour véhiculer des gens horizontaux et nous atterrissons dans la salle de réunion des viandes froides. Le défunt gît sur un chariot. On l'a recouvert d'un drap que la souris rabat (comme disent les Marocains). Je me trouve nez à nez avec un monsieur d'une cinquante-cinquaine d'années, aux traits passe-partout. Ce type-là, ç'a été le Français moyen dans toute sa splendeur ; rien, sûrement, ne le prédestinait à terminer ses jours sous les balles d'un tueur à gages.

— Qui est-ce ? questionné-je.

— Il s'appelle Lautin et il était boulanger. Il souffrait d'une ulcération de l'estomac.

— Eh bien ! on peut dire qu'il a été guéri, je murmure. Comment ce tueur est-il arrivé jusqu'à son lit ?

— J'étais de garde, fait la gentille enfonceuse de thermomètre en rabattant le drap sur le visage du boulanger. Et puis cet infirmier est arrivé. Il avait un pardessus sur les épaules. Il m'a demandé dans quel lit se trouvait le vitrier qu'on avait amené dans la journée et qui était tombé d'une fenêtre.

Je lui cramponne vivement une aile. Elle ne tente rien pour se dégager. Au contraire, ce contact ne paraît pas lui déplaire.

— Vous n'aviez jamais vu cet infirmier ?

— Non, jamais, mais ici il y a tellement de personnel. J'ai pensé qu'il arrivait d'un autre service, comprenez-vous ?

— Ensuite ?

Il fait froid dans cette pièce, c'est peut-être pour ça que la gosse a tendance à se blottir contre moi. Qu'est-ce que vous en pensez ?

— Je lui ai répondu qu'il se trouvait dans la salle B et qu'il occupait le lit numéro 3.

Elle rosit.

— Je me suis trompée, le blessé en question occupe le lit numéro 4.

Ecoutez, les gars, je ne sais pas si vous partagerez mon point de vue (et si vous ne le partagez pas je m'en tamponne le coquillard) mais j'estime qu'il y a des jours ou votre ange gardien mérite un petit air de luth. Celui de Pinuche, aujourd'hui, a droit à une auréole au néon ! Je vous fais juge, comme disait un président de Tribunal. Voilà un bonhomme (je cause de Pinuche) qui tombe du troisième sans se buter et qui échappe au chargeur d'un mitrailleur diplômé parce que la garde de nuit a une tête de linotte. Du coup, je ressens une grande tendresse pour cette mignonne rouquine qui a sauvé la vie de mon Pinaud.

Je lui prends la taille et lui décerne la récompense suprême du commissaire San-Antonio : le grand bavochard glouglouteux à muqueuse consentante. Elle aime.

Vous allez m'objecter que l'endroit ne se prête pas à une séance de ce genre, pas vrai, bande de conformistes ? Est-il besoin de vous affirmer que je n'ai rien à fiche de vos objections et que vous pouvez les utiliser comme suppositoires ?

Je sais bien que dans le personnel hospitalier on n'est pas précisément rosière de mère en fille, pourtant ma franchise proverbiale m'oblige à vous dire que cette infirmière-là en connaît un bout long comme ça dans le traitement de la prostate. C'est surtout dans l'ascenseur qu'elle me donne un aperçu en bécorama de ses capacités. On bloque la vaste cabine entre le sous-sol et le rez-de-chaussée et on se joue « Comment-ça-va-chez-vous, comment-ça-va-chez-toi en dos majeur ».

Je suis dans une forme éblouissante. D'ailleurs la gosse est éblouie, faut se rendre à l'évidence, par ses propres moyens.

L'impromptu, c'est une science, les gars. J'appartiens à la race des improvisateurs, moi. Allez demander à cette gosse, et vous verrez ce qu'elle vous répondra. Elle m'a fait un certificat mais je l'ai oublié dans le tiroir de mes bretelles du dimanche.

-:-

Béru est en train de manger des bonbons lorsque je reviens. Pinaud m'annonce avec aigreur que le Gros a pillé la table de nuit de son voisin de lit. Il ajoute que ça ne se fait pas et qu'il se dissocie formellement de son collègue. Avec un haussement d'épaules Béru me désigne alors sa victime : un petit vieux dont le nez rejoint le menton et qui dort en faisant un bruit de mixer.

— Vise-moi ce pauvre pépé, fait le cynique personnage. Il a l'air tellement vaillant que les croque-morts doivent z'être en train de le jouer à la belote ! Et puis c'est pas avec des gencives qu'on peut bouffer des caramels. Sa boîte à dominos est complètement vide, il roule sur la chambre à air, vise un peu. Excepté la purée et le yaourt, y peut plus s'envoyer grand-chose. Ah, elle est bien passée, l'époque où ce qu'il dégoupillait des grenades avec les dents. T'as trouvé du neuf ?

— J'ai appris que c'était Pinaud qu'on voulait liquider ; seulement il y a eu maldonne et c'est son voisin de plumard qui a dégusté le potage.

Le Débris devient verdâtre.

— Comment ça, on voulait me liquider ? bavoche-t-il. Qu'est-ce que j'ai fait ?

— C'est sûrement un coup de nos petits camarades du consulat. Ecoute, Puche, tu vas essayer de rassembler tous tes souvenirs pour une conférence de presse. On veut te supprimer parce qu'au cours de ta visite chez les Alabaniens tu as dû repérer ou entendre quelque chose d'important. Quelque chose qu'ils ont décidé de te faire oublier coûte que coûte, tu comprends ?

Il branle le chef misérablement.

— Je n'ai rien vu de plus que ce que je t'ai dit.

— Et entendu ? Ne m'as-tu point rapporté que le secrétaire téléphonait dans la pièce voisine pendant que tu attendais ?

— Il parlait une langue étrangère ! proteste Pinaud.

Je vrille un index péremptoire sur sa caisse d'horloge.

— Gratte un peu là où tu es, supplie le tendre sénile ! C'est fou ce que ça peut me démanger !

Je souscris à sa requête. Et tout en agissant de l'ongle sur son épiderme, je déclare :

— Alors il devait dire des choses capitales, Pinaud. Et ils veulent te tuer par prudence, pour le cas où tu parlerais l'alabanien.

— Ne plaisante pas, intervient sévèrement le Gentil, il y a eu mort d'homme !

Le Gros ricane doucement en finissant les caramels subtilisés au camarade de chambre de son collègue.

— On va mettre une annonce dans les baveux, plaisante l'Hippopotame : « M'sieur l'Inspecteur-Chef Pinaud informe les mecs du Consulat d'Alabanie que c'est plus la peine de le buter vu qu'il cause pas leur langue. »

— Mais je ne le comprends pas ! s'égosille le Détritus affolé. Faut leur dire !

— Du moment que l'homme en question c'était pas toi, rétorque l'Invincible, qu'est-ce que j'en ai à branler ?

Il est commak, Béru. Bonne âme, mais pas très sensible à l'extérieur. Son capital émotionnel, il le réserve aux aminches. Pour lui, la mort d'un homme c'est du petit fait-divers pour concierges.

— Ça fait rien, voilà qu'indirectement tu effaces deux julots dans la même journée, ironise-t-il. T'es Atala en personne, Pinuche !

Je donne des instructions pour que le Révérend soit installé dans une chambre à un lit et pour qu'un agent fasse le pet devant sa lourde. Ensuite de quoi nous le laissons aux prises avec son urticaire.

CHAPITRE VII

La nuit est fraîche comme un quart Ricqlès bien frappé. Béru m'informe qu'il a faim et sommeil. Il envisage une saucisse aux lentilles ou un poteau-feu. Ensuite de quoi il se fera une dorme à grand spectacle dans les bras de sa Berthe.

— Minute, coupé-je, il nous reste encore un petit turbin à exécuter.

— De quoi t'est-ce s'agit-il ?

— Ça me démange d'aller faire une petite visite privée au consulat.

— A ces heures ! tonitrue-t-il ; mais il est fermaga, gars !

— Justement, je l'ouvrirai.

— Tu trouveras personne !

— J'y compte bien.

Il n'est pas convaincable. Sa saucisse lui trotte par la tête avant de lui explorer la boîte à ragoût.

— Je vais encore te dire autre chose, San-A.

— C'est inutile, mais dis-le néanmoins.

— En forçant la porte d'un consulat, tu commets une violation de frontière !

— Je sais, fils !

— Et en plus, comme tu es officier de police, un suppositoire que tu te fasses prendre, ça risquerait de créer un incendie problématique (1) !

Il n'a pas tort. Je me demande même s'il n'a pas raison. Me devinant troublé, il précise son attaque.

— Tu vois pas qu'à cause de toi on ait la guerre avec l'Alabanie, gars ? Ce serait le bouquet. Surtout maintenant qu'on a pris l'habitude de paumer toutes les guerres qu'on entreprend ! Tu vas me dire que l'Alabanie c'est pas très grand ; mais je te fais remarquer qu'au plus le pays avec lequel on se chicorne est petit, en plus vite on perd la guerre. J'ai idée qu'en quarante-huit heures ce sera réglé et que les troupes alabaniennes défileraient sous l'Arc de

(1) Le cher Béru doit vouloir dire un incident diplomatique.

Triomphe. T'imagines ? L'occupation, les restrictions et tout ! Si encore on aurait notre force de frappe au point, je dis pas ; mais en fait de frappes on ne dispose guère que de celles qui draguent dans Pigalle ! Les Amerlocks seraient une fois de plus bonnards pour venir nous délivrer. La Fayette, ç'a été un drôle de placement, rappelle-toi-z'en !

Le Gros est lancé. Maintenant que le voilà à la tribune, il se croit obligé de jouer « M. Smith au Sénat ».

Et de poursuivre :

— Tu sais pourquoi, quand les Ricains viennent de nous sortir de l'auberge, on écrit « U. S. go home » sur les murs ?

— Pour qu'ils rentrent chez eux, parbleu !

— Natürlich, mais tu sais pourquoi on tient à ce qu'ils rentrent chez eux ?

— Dis voir ?

— C'est pour qu'ils se préparent à venir nous délivrer la fois prochaine. Non, crois-moi, moule tes idées de perquise à la sauvette. Fais-le pour la France, San-A. si tu veux pas le faire pour moi. Elle n'a pas besoin de ça en ce moment !

Mon silence lui donne à croire que sa plaidoirie a porté. Il se mouche avec un bruit de trompette, examine les résultats, les enveloppe, les empoche et déclare :

— Tout compte fait, je me demande si une choucroute serait pas préférable.

Je freine et range ma tire en bordure du trottoir.

— Pourquoi tu stoppes ? s'étonne le Boulimique en regardant autour de lui, il n'y a pas de restaurant à promiscuité !

Il avise alors la hampe du consulat d'Alabanie et se renfrogne.

— Tu feras comme tu veux, mais je sais que moi je ne plongerai pas mon pays dans les z'horreurs de la guerre.

— Aussi ne te demandé-je point de m'accompagner, Saucisse avariée, lancé-je, mais seulement de m'attendre.

Je biche une petite lampe électrique dans ma boîte à gants, je m'assure que mon sésame est dans ma poche et je laisse le Gros à sa défection morose.

-:-

Le porche franchi sans encombre, je me

garde bien d'actionner la minuterie. Je me farcis les étages rapidement jusqu'à ce que la large plaque de cuivre du consulat scintille sous mes yeux. La porte est respectable. C'est de l'huis costaud, à deux vantaux. Elle comporte autant de serrures que la soutane d'un curé a de boutons. M'est avis que je vais avoir du turbin pour délourder. Mais, vous le savez sans doute, les grandes tâches ne m'ont jamais rebuté. Je suis le genre d'homme susceptible de réparer la grande muraille de Chine ou de creuser avec une cuillère à thé un canal destiné à amener la Méditerranée sur son évier. Je commence par la serrure du haut. Ça n'est pas la plus coriace ; pourtant la cloison est en iridium pénalisé et la paillette de gorge en opus incertum. Je finis par avoir grain de courge (excusez les fautes de frappe, je voulais écrire gain de cause).

Je passe à la seconde ; puis à la troisième. C'est la trente-sixième qui me fait les plus grosses objections. Il faut dire qu'elle est au pêne après avoir été à l'honneur ! Je mets quatre minutes vingt-neuf à me faire admettre, et puis elle cède à mon charme et je pénètre enfin dans les locaux. Vous l'avez deviné, je n'ai qu'un but : me rendre au plus vite dans le fameux bureau dont la vitre n'a toujours pas été remplacée. J'ai le sens de l'orientation fort développé ; c'est un secret pour Perkings. Je traverse un hall meublé sommairement de banquettes et je gagne une porte à double battant qui me paraît être celle du grand burlingue. Je la pousse, mais elle résiste et il me faut une fois encore faire appel à l'aimable outil qui m'escorte au cours de mes actions d'éclat.

Cette fois, c'est pour lui de la broutille ; une espèce de petite mise en train, comme disent les chefs de gare et les gars de la pédale. Je pénètre dans la pièce sans la moindre difficulté.

Tout de suite je crois m'être gouré. Le bureau qui s'y trouve n'est pas ministre, mais anglais (1). Il s'agit d'un meuble d'acajou, très élégant. Je regarde sous le bureau et je constate qu'il ne manque pas de moquette. Bref, je ne suis pas dans la bonne pièce. Un regard à la fenêtre, et je renaude : il manque la vitre. Je reviens au bureau et

(1) Bien sûr il existe des ministres anglais, mais ici c'est de l'anglais qui n'est pas ministre.

je m'accroupis. La moquette à cet endroit est toute neuve. Elle a été raccordée. Elle possède un moelleux significatif.

J'ai idée que ces braves gens ont eu chaud et qu'ils se sont hâtés de réparer les dégâts. Ils ont dû déménager l'ancien burlingue dans la soirée. J'ouvre les tiroirs du nouveau meuble : vides. Je me rabats alors sur un classeur situé contre le mur. Nouvelle serrure ! Nouvelle victoire de sésame qui en remontrerait à Louis XVI. Des dossiers numérotés, classés, rangés et en couleur s'y empilent.

Je prends le premier venu. En ronde impeccablement calligraphiée s'étale le titre suivant :

« Hklövitckaya sproutnzatza intzgog », qu'il est inutile que je vous traduise car vous n'êtes tout de même pas crétins au point de ne pas savoir lire l'alabanien moderne. En effet, ce sont bien les demandes de visas que contient le dossier. A chaque formulaire est épinglée la photo du demandeur, celle de sa femme, de ses enfants, de ses parents, de ses amis, de son percepteur et de ses voisins de palier. On peut lire son nom, son adresse, sa maladresse, sa date de naissance, le numéro de son passeport, celui de son permis de conduire, celui de sa carte de pêche, etc. Un immense tampon rouge barre systématiquement toutes les demandes de visas : « Tuladanlk-Hu », ce qui, rappelons-le tout de même pour les analphabètes (à bon Dieu) veut dire « Refusé ». M'est avis que le touriste doit être rare en Alabanie.

Je compulse d'autres dossiers, c'est partout du kif. Les gens qui sollicitent des visas d'entrée feraient mieux de demander des visas de sortie, ça gagnerait du temps. Ce sont pour la plupart des Alabaniens en exil qui ont le mal du pays et qui veulent aller mourir chez eux ! Mais cette suprême joie leur est refusée, car les balles reviennent trop cher dans ce merveilleux pays ; on les réserve à la population sédentaire. Mon travail d'exploration est fastidieux, mais vous savez à quel point le petit San-Antonio joli est scrupuleux dans le boulot ? J'examine les dossiers, les uns après les autres, matant toutes les photos qu'ils recèlent, lisant toutes les fiches. J'en ai déjà étudié une quarante-troizaine lorsque mes yeux s'écarquillent, ma bouche s'ouvre, mes narines se dilatent, mes muscles se tendent, mes nerfs se nouent, mes veines sont en crue, mes doigts de pied se mettent en botte, mes poils frisent, mes cheveux se hérissent, mes oreilles palpitent, mon cœur s'évertue, mes poumons jouent au typhon, ma langue se goûte, mon estomac se met en berne, et mon branchement déconnexe. Qu'est-ce qui motive ces réactions en chaîne ? Dois-je vous le dire ? J'en doute : vous ne me croiriez point. Vous prétendriez que j'exagère, qu'il y a du mou dans la corde à nœud et que mon thermostat bat de l'aile. Alors je préfère ne pas vous causer de ma découverte. Pardon ? Vous dites que je ne suis pas réglo ? Surveillez vos paroles si vous n'êtes pas capables de surveiller vos bonnes femmes. Je suis toujours partant pour une partie de bourre-pifs, vous savez. Quand on me cherche on me trouve. Pas réglo, moi ! Après tout, vous avez peut-être raison. Eh bien d'accord, je vais vous le dire, mais si j'avise un incrédule je le transforme en pâte dentifrice, vu ? Ce que je viens de trouver, mes fils, c'est la photo de Pinaud. Avouez que ça vous court-circuite la moelle épineuse, non ? Vous ne vous attendiez pas à celle-là ! Et vous savez en compagnie de qui il se trouve, sur la photo, Pinuche ? Non ? Vous cloquez votre langue ? C'est pas qu'elle soit appétissante, notez bien, mais j'accepte. Eh bien, il est aux côtés d'une ravissante jeune fille brune qui a un corsage blanc et des nattes dans le dos ; la bergère s'appelle Yapaksa Danlhavvi ; elle est secrétaire diplômée de la faculté de machine à écrire de Paris.

Je plie mon dossier en quatre et je le glisse dans ma poche. Comme j'achève, une voix murmure :

— S'il vous plaît, levez les bras !

La voix est suave, mais l'invitation a quelque chose d'assez péremptoire. Je me retourne. Un grand type pâle, aux cheveux rares aplatis sur le sommet du crâne, est là, qui brandit deux gros calibres. Lorsqu'un monsieur tient un revolver dans chaque main, croyez-moi, c'est qu'il n'a pas envie de plaisanter et il ne fait pas ça pour vous guérir du hoquet. Le gars est en manches de chemise (une chemise toute fripée) et il a enfilé un futal vite fait sur le gaz. Probable que monsieur dormait dans une pièce voisine, bien que ce consulat ne comporte que des locaux dits commerciaux. Et, manque de peau (comme disait un dermatologue à un brûlé du troisième degré) il n'y dormait que d'un œil. Maintenant ce sont les deux yeux de ses pétards qui me regardent. Et quels yeux, mes frères ! Du 11,37 ! Quand on vous crache dessus avec ces mécaniques vous ressemblez aux arènes de Nîmes ! Si mon interlocuteur a une petite contraction d'un index, les historiens pourront s'attarder à ma biographie, tout y sera, y compris le dernier chapitre.

Je lève les bras.

— Je m'excuse de vous avoir réveillé, dis-je.

— Ça n'a pas d'importance, j'ai le sommeil extrêmement léger, répond l'arrivant.

Il appelle soudain à la cantonade :

— Klohtzna !

Un moment s'écoule et la porte donnant sur le hall s'ouvre. Un type d'au moins trente mètres de haut fait une entrée de théâtre. M'est avis qu'il est peuplé, le consulat. Le nouveau venu a des cheveux jusqu'au milieu du dos, un nez camard, d'énormes sourcils et une moustache qui ferait crever de jalousie Vercingétorix en personne.

L'homme aux pétards lui balance un ordre, la mauviette s'approche de moi et son ombre me paraît beaucoup plus imposante que celle de l'Himalaya. Pas tellement sympa, le frangin. Il a le masque, les gars ! Son front, c'est une frange ! Si jamais il éternue, ma boîte crânienne va voler en éclats.

Il fait mieux qu'éternuer : il me virgule une manchette dans le portrait. J'appelle ça une manchette, en réalité il s'agit plutôt d'un coup de coude. J'ai la nette impression qu'une locomotive vient de m'embrasser sur la bouche. Sauf erreur ou omission, ma tronche a dû se propulser dans la pièce voisine. Je tombe sur le plancher. Pourtant, malgré la violence du choc je n'ai pas perdu connaissance. Mon manège à moi s'emballe dans ma petite cervelle. Il tourne, il tourne éperdument. Pas moyen de freiner, les mecs.

Dans un brouillard vertigineux je vois M. Everest se pencher sur moi. Il me ramasse comme vous ramassez une vieille chaussette, il me cloque dans les bras d'un fauteuil et passe sa main monstrueuse dans mes fringues pour délester mes pockets de leur contenu. Il retire mon camarade Tu-Tues et mon larfouillet. Il tend sa prise au mitrailleur. Le manège ralentit enfin sa ronde infernale.

Je recommence à y voir un peu plus clair. Le King-Kong alabanien me surveille derrière ses sourcils de griffon. Ce type-là, vous ne m'enlèverez jamais de l'idée qu'il a dû être élevé au lait Mont-Blanc ! Quand on veut le considérer dans sa totalité, on chope rapidos le torticolis.

Pendant qu'il me tient à l'œil, son camarade qui vient de remiser l'une de ses arquebuses étudie mes fafs. Il constate ma qualité de policier, mais ne paraît pas le moins du monde impressionné. Il s'approche du bureau, tourne vers lui le cadran du bigophone et se met à composer un numéro. La sonnerie d'appel retentit longuement, à l'autre extrémité avant que quelqu'un ne se décide à décrocher. Enfin, une voix ensommeillée et masculine grogne :

— Hallu ! ce qui en alabanien veut dire allô.

L'homme aux pistolets dégoise alors une tirade à mon propos.

Un court silence suit. Et puis l'interlocuteur lointain ordonne quelque chose. Ces messieurs raccrochent. Le gars aux pistolets tend son pétard à l'Himalaya-fait-homme et s'esbigne. Tout cela ressemble à un bath cauchemar. Jusqu'ici aucun des deux hommes n'a pris la peine de m'adresser la parole. Je me dis qu'il serait de bon ton de tenter quelque chose de vigoureux pour sortir de ce bousier, mais avec l'homme-montagne ça n'est guère possible. Au moindre geste, pas même : au plus léger frémissement de mon individu, il me réduira en petites miettes.

Son pote revient, nanti d'une seringue. Oh que j'aime peu ça ! Les piquouzes me sont déjà désagréables lorsque c'est le toubib de la famille qui me les fait ; mais quand c'est un type pareil j'ai les noix qui s'entrechoquent.

Je réalise que le contenu de la seringue c'est pas des vitamines, ni du calcium. On veut m'envoyer promener chez Saint-Pierre en loucedé, sans faire de bruit. Ensuite ces messieurs iront déposer ma carcasse dans une poubelle accueillante. Tant qu'à fiche, je préfère déguster du plomb, c'est plus viril. Mais le King-Kong consulaire a dû prévoir ma décision. Sa poigne formidable me saisit au colbak et me bloque contre le dossier de mon fauteuil.

Je vois le deuxième Alabanien se pencher sur mon cas avec sa garce de seringue. Ça va être ta fête, San-A. Finis les nanas et les calembours. Faut payer l'addition, fils. Je ferme les yeux. Je suis triste. Disparaître à la fleur de l'âge alors qu'il y a encore de part le vaste monde tant de bouteilles à vider et de filles à charmer, c'est vexant ! Enfin, il faut bien faire un peu de place aux générations montantes. Ça n'est pas toujours aux mêmes à tenir le haut du paveton, hein ?

Je sens l'aiguille se planter dans ma viande et j'ai un tressaillement de tout mon être. A cet instant, une gentille mitraillade éclate. Quatre coups de pétoire. Pan-Pan-Pan-Pan ! Le compte y est ? Oui ? Bon ! L'homme à la seringue culbute et s'affale sur mes genoux. La seringue reste plantée toute droite dans ma viande. Le liquide est heureusement encore à l'intérieur. Et King-

Kong, messieurs-dames ? Eh bien, King-Kong aussi est out. Il a pris deux pralines dans sa grosse physionomie et il a beau avoir une tronche de pioche, les valdas à Béru lui ont tout de même composté la machine à réfléchir. Car, vous n'en avez pas douté une fraction de seconde, je suppose, mais c'est le Gravos qui vient de défourailler. Il est olympien derrière la fumaga de sa rapière.

— Je suis t'arrivé z'à temps une fois de plus, à ce qu'on dirait ? dit-il.

Je me dresse et j'examine mes deux antagonistes. Une tête de veau-vinaigrette, la statue de Jeanne d'Arc, la momie de Ramsès II, une séance du dictionnaire à l'Académie Française sont moins mortes qu'eux.

— Taillons-nous ! lance Béru. Va y avoir du pet. Et moi que je redoutais que tu causasses un incendie problématique, c'est gagné, non !

Il bombe déjà vers l'entrée, la transformant de la sorte en sortie.

J'arrache la seringue de ma viande, je récupère mon feu et mon portefeuille et j'en fais autant. Il commence à y avoir de l'effervescence dans l'immeuble. On a tout juste le temps de s'évacuer avant que les locataires déboulent de leurs clapiers.

Cavalcade jusqu'à la chignole. Démarrage sur les chapeaux de roue. Rallye dans les rues de Pantruche.

— On va chez Lipp ! supplie le Gros, j'ai trop envie d'une choucroute !

CHAPITRE VIII

Deux spéciales ! Dans les lumières je reprends du poil de la bête. Le Gros écluse un formidable et en redemande un autre.

— C'est bon pour la vessie, explique-t-il. La vessie, c'est comme le reste : ça a besoin d'un petit lavage de temps en temps !

Il est tout joyce, le Monumental. Mais comme il me paraît chétif tout d'un coup en comparaison du gorille alabanien.

C'est le petit Poussah, en quelque sorte.

— Je te dis merci pour ton heureuse initiative, fais-je en plantant ma fourchette dans une francfort dodue.

— Comme tu redescendais pas, j'ai fini par m'inquiéter, explique le Mahousse. Tu crois qu'on va avoir la guerre avec l'Alabanie ?

— J'espère bien que non.

— Si j'aurais déclenché un conflit international, je m'en voudrais toute la vie, se lamente Sa Majesté.

— T'inquiète pas, ça se tassera. Les zigotos du consulat ont intérêt à écraser le coup au maximum. Jusqu'ici, tout dans leur comportement indique qu'ils ne souhaitent pas de publicité.

Nous tortorons nos choucroutes en silence. Je baigne dans un bien-être suave. C'est pas mauvais de bouffer une choucroute chez Lipp lorsqu'on vient de voir la mort d'aussi près. Notre souper terminé, je dépose le Gros devant sa lourde et je retourne au burlingue pour mettre le Vieux au courant des événements. Il paraît soucieux. Lui aussi craint l'incendie problématique.

— Cette visite domiciliaire ne s'imposait pas, proteste-t-il.

— Elle m'a tout au moins permis de découvrir l'image que voici, Patron.

Il examine la photo de la fille aux tresses. La présence de Pinaud, aux côtés de la jeune personne, ne laisse pas que de le troubler.

— Il faut avoir une explication avec Pinaud à propos de cette personne.

— J'y vais de ce pas. Vous ne pourriez pas donner des instructions aux collègues qui seront chargés de l'enquête pour qu'ils se mettent en veilleuse ?

— Naturellement, bougonne le Dabuche. Mais dans quelle fâcheuse situation vous me mettez, San-Antonio ! Par moments mon cher, je vous le dis tout net, vous n'avez plus de mesure !

— Ce sont les résultats qui comptent ! riposté-je.

— Justement, je crains que ceux-ci ne soient pas très convaincants !

— L'avenir le dira ! postillonné-je.

— Qu'il le dise vite ! grince le Diro.

— Me permettez-vous de me retirer ?

— Je vous en prie !

Je me mets à écarter mes compas en direction de la lourde. Au moment de la franchir, la voix du Vioque retentit.

— San-Antonio !

Volte-face de l'interpellé. L'homme chauve sourit (1).

(1) Je vous l'ai déjà dit trente-quatre fois, mais je l'aime tant !

— Allons, allons, mon bon ami, raisonne le pape de la Rousse, nous sommes un peu sur les nerfs. Ne nous quittons pas sur une mauvaise note.

Il s'avance, sa belle paluche en peau de quenouille tendue pour la prise de congé délicate. On s'en presse dix (cinq chacun) et on se quitte.

-:-

Le gardien de la paix qui veille Pinaud dort comme un gardien de la paix en faction. Je lui tripote le bâton et il ouvre un œil comateux.

— On ne passe pas ! bafouille-t-il.

En voilà encore un qui se croit à Verdun.

Je lui déballe mon pedigree et il rectifie la position, ce qui compromet celle de sa chaise. Je pénètre, la tête haute, dans la carrée pinuchienne. Le Débris dort dans ses plâtras. Je toque à l'un d'eux et il me dit d'entrer.

Je lui réponds que je n'ai pas la clé, alors il m'assure qu'il va descendre m'ouvrir. Enfin il sort des limbes et me reconnaît.

— Encore toi ! reproche-t-il.

— Encore moi.

— Tu tombes à pic, ça t'ennuierait de me gratter autour du nombril ? C'est fou ce que ça me démange.

— A ma prochaine visite je t'apporterai une râpe à fromage, promets-je, ou si tu préfères une lampe à souder, ce sera plus efficace.

L'ayant gratté dans la région indiquée, je lui montre la photo de Miss Tresses.

— Tu connais cette amazone ?

— Bien entendu, elle a été ma secrétaire du temps où j'avais mon Agence de police privée. Elle s'appelle Yapaksa Danlhavvi. C'est une charmante fille, très capable, très honnête et, comme tu peux en juger sur cette photo, d'un physique qui n'est pas à dédaigner.

— Elle est Alabanienne ?

— Je ne l'avais pas remarqué, s'étonne Pinaud. Elle cause français comme père et mère !

— Ce qui ne saurait être concluant, ses parents devant parler l'alabanien. Où demeure-t-elle, cette belle tressée ?

— Rue Saint-Martin, au 44.

— J'irai la visiter demain matin. Je commence à piger la raison pour laquelle ces gens ont voulu te supprimer.

— Laquelle t'est-ce ? demande Pinuche sur lequel Béru a une forte influence.

— Lorsque tu t'es présenté, en vitrier, le secrétaire qui doit avoir une mémoire visuelle très exercée s'est souvenu de ta physionomie, laquelle est assez marquante j'en conviens. Sans doute est-il allé vérifier dans le dossier. Et comme il n'est pas idiot, il s'est tenu le raisonnement suivant. « Cet homme qui cherche à nous blouser est aux côtés d'une de nos compatriotes, sur la photographie, dans une posture familière. Peut-être est-il Alabanien ? S'il est Alabanien, il a compris ce que je disais au téléphone. Donc il faut coûte que coûte le faire taire. »

— C'était si important que ça, ce qu'il disait ?

— Je ne vois pas d'autre explication rationnelle, mon petit Père. Bon, je te laisse finir ta nuit ; recolle-toi bien, Pinuche.

— Attends, ça t'ennuierait de me gratter la plante des pieds ?

— Un peu, avoué-je, je n'ai pas de gants.

Je m'en vais, l'abandonnant à ses démangeaisons.

-:-

Rentré chez moi, je vais droit au frigo et je me tape un grand verre de lait glacé. La nuit, avant la drume, c'est radical (comme disait le président Herriot). Sur la pointe des pinceaux je monte dans ma chambrette. Le papier cretonne, le lit de bois bien ciré, les vieux meubles fourbis par Félicie sont de bons amis accueillants dont la sérénité me calme. Je m'introduis entre deux draps bien frais et j'y vais de la ronflette réparatrice avec rêves d'azur et vue imprenable sur le néant.

-:-

Quand je me lève, le lendemain matin, il fait un temps merveilleux. Le soleil crépite, les petits oiseaux préparent leur concours d'entrée à la Scala de Milan et le ciel bleu ressemble à la bannière des enfants de Marie. Je prends brusquement une décision héroïque. Une décision comme je n'en ai encore jamais prise : celle de rester chez moi.

Parfaitement, les gars, comprenne qui peut, votre San-Antonio valeureux, celui qui pulvérise les mâchoires et les mystères les plus solides, éprouve, tout à coup, l'envie de jouer les pères pantoufles. Après ce démarrage en trombe dans la plus délicate et la plus surprenante des enquêtes, la nécessité d'un temps mort se fait sentir. Je me dis qu'il ne suffit pas de toujours foncer bille en tête dans la vie ; par instants on a besoin de faire le point, et parfois aussi de faire le poing. Félicie prépare un cacao-maison dans la cuisine. Une bonne odeur de toasts grillés flotte dans l'air à la ronde. Je cramponne ma bonne vieille par les épaules et lui fais la bise matinale number one. Elle se retourne, radieuse et me découvrant en pyjama murmure, d'une voix qui n'ose pas exprimer trop d'espoir :

— Tu n'es pas pressé ce matin ?

— Non, M'man. Aujourd'hui, je me donne campo. J'ai bien envie de faire un peu de jardinage.

It is the big commotion pour Félicie. Elle en reste comme deux ronds de flan, la pauvre chérie, et le cacao perfide en profite pour tenter une évasion surprise. Mais

M'man, c'est pas le genre de personne qui se laisse feinter par une casserole de cacao. Elle jugule la tentative en coupant le gaz d'un geste preste.

— Bien vrai, mon grand, tu passes ta journée ici ?

— C'est juré, M'man.

— Alors je vais te faire des filets de sole au vermouth et des rognons sautés !

— Tu vas me déguiser en Bérurier, M'man, avec ta cuisine façon Grand Véfour !

La voilà toute joyce, la chérie.

Je m'habille en cradingue et je vais bricoler la végétation du jardin. Un escargot me fait les cornes, une abeille joue du vibreur, c'est bath. Voyez-vous, bande d'empaquetés, on ne se rapproche pas assez de la nature. Nous vivons tous à califourchon sur la fusée Atlas en rouscaillant parce qu'elle ne va pas assez vite. On devrait davantage s'asseoir dans son jardin et regarder les abeilles, faire leur petit turbin. Il est loin, le consulat d'Alabanie et son étrange faune morte ou vivante. Je me demande comment ça se passe chez ces messieurs. Mais je me le demande avec détachement, en me foutant pas mal de la réponse. Je n'ai même pas l'idée de bigophoner au Vieux pour lui demander ce qu'il en est ! Je vous le répète, je suis en pleine léthargie.

J'arrache un peu de mauvaise herbe, histoire de jouer les manuels. Mais j'ai rien contre le chiendent, les gars. Après tout c'est une plante qui en vaut une autre. C'est une vue de l'esprit (et de quel esprit étroit !) que de classer les plantes et les animaux en bons et en mauvais. Pourquoi une vipère ne vaudrait-elle pas un chien ? Et pourquoi une ortie serait-elle moins sympa qu'un chou rouge, je vous le demande ?

Mme Saugrenut, notre femme de ménage arrive, avec son fichu noir et son sac à provisions. C'est une petite vieille dont la tête ressemble à une pomme moisie. Elle a une voix qui rappelle le cri d'un pédalier mal huilé. Par la fenêtre de la cuisine ouverte, je les entends bavarder, M'man et elle. Mme Saugrenut, c'est le genre « la vie ne m'a pas épargnée. Tous les malheurs au grand complet : l'Assistance publique, le mari alcoolique, le fils tué à la guerre, la fille enfuie avec un malfrat. Quand le bon Dieu invente une nouvelle tuile, vite il l'essaie sur la mère Saugrenut. Les rappels d'impôts, les expropriations, les courts-circuits, les pannes de gaz, les cheminées qui tombent, c'est pour sa pomme, à cette pauvre dadame. Pourtant, reconnaisez-le, ça tombe rarement, une cheminée. Eh bien, celle des Saugrenut, elle se fait la valoche comme une grande. Et bien entendu en chutant elle ne manque pas d'écraser le vélo du mari rangé en bordure du trottoir. La pommade, quoi ! Le plus dur, à ce que raconte la petite vioque, c'est de s'y habituer ; mais après ça va tout seul. Lorsqu'elle reste quarante-huit plombes sans avoir de pépins, il lui manque quelque chose et elle se met à appréhender. Alors le destin la rassure en écrasant son chat ou en lui cloquant un fibrome style XV de France. Félicie assure que s'il y a un bon Dieu, Il fcra asseoir la mère Saugrenut à sa droite lorsqu'elle ira faire le ménage là-haut. Moi je me dis que rien n'est moins sûr. Ma tronche à couper qu'il y aura une erreur d'aiguillage et qu'un archange distrait la branchera dare-dare sur Satan. Les marmites, c'est son lot, à c'te femme.

Elle est en train de raconter que son

canari est crevé pendant la nuit. Elle ne pleure plus. Il y a belle lurette que les chagrins l'ont déshydratée. Et pourtant, ce canari, c'était un bon copain. Le seul canari in the world qui savait siffler la Marseillaise. Paraît qu'il se déclenchait dès qu'il entendait la voix du Général à la radio. Eh bien voilà : elle l'a trouvé dans le fond de sa cage, roide sur des grains de millet. C'est triste, non ? Félicie écrase une larme. La mère Saugrenut est contente, elle aime bien que les autres pleurent sur son sort : ça la reprend un peu. Pour la distraire, Félicie se met à lui raconter la recette des filets de sole au vermouth. Ça la passionne d'autant plus, la mère Saugrenut, que chez eux ils ne morfilent que des patates et des nouilles. Elle demande à Félicie de lui écrire ça sur un bout de papier vu qu'elle collectionne les bonnes recettes. Paraît qu'elle en a un plein cahier épais commak. Depuis le gratin de queue de langouste jusqu'au cuissot de chevreuil sauce grand veneur en passant par la salade hawaïenne et le velouté aux pointes d'asperges ; elle affirme que c'est utile d'avoir ça à sa disposition pour le cas où elle recevrait du monde. Seulement le monde qu'elle reçoit c'est l'huissier, l'employé du gaz, ou d'autres personnages qui viennent plutôt vous couper l'appétit.

Ça ne fait rien : elle espère quand même. C'est tenace à cet âge.

Je ferme les yeux pour mieux m'abandonner au soleil de printemps. Notre jardin sent la terre fraîche et l'arbre en fleurs. Et puis voilà que le biniou carillonne. Les deux femmes arrêtent leur causette. La sonnerie cesse. Puis M'man paraît dans l'encadrement de la porte, la mine ravagée par l'appréhension.

— C'est pour toi, Antoine : M. Bérurier.

— Dis-lui qu'il aille se faire peindre en vert ! riposté-je. Invente n'importe quoi : je suis malade, je discute le bout de gras avec le ministre de l'Intérieur ou avec celui de l'Extérieur, au choix.

Elle soupire. Le mensonge, c'est pas son turf à M'man. Même pour avoir la joie de me garder une journée dans ses jupes elle répugne à ces procédés. Pourtant elle disparaît Tout retombe dans l'ordre et dans la tendre langueur de cette matinée. Mon abeille s'est barrée dans le jardin d'à côté.

Je note à ce propos que nos voisins ont changé de bonniche. Avant ils avaient à leur service (et au mien) une petite brunette polissonne qui s'y entendait comme pas douze pour vous asticoter les objets précieux.

Ils ont remplacé cette bonne à tout faire (absolument tout), par une big vachasse made in Bretagne qui doit peser une tonne et qui ressemble à B. B. (Berthe Bérurier). Pour l'instant, la nouvelle secoue un tapis simili persan, entièrement tissé-machine par des retraités du gaz. Elle cause un tel déplacement d'air que les ménagères du voisinage s'émeuvent, croyant à une tornade et se hâtent de fermer leurs volets.

Qu'est-ce que l'Enorme pouvait bien me vouloir ? Ça me travaille le cuir, en loucedé. Le remords me taraude menu. Ça démarre comme un mal de chaille. Au début, c'est juste une petite lancée insignifiante, mais qui se répète en plus fort et qui devient vite insupportable.

Une force irrésistible me pousse vers la maison. Mme Saugrenut et Félicie sont en train de faire les carreaux du vestibule. C'est la dame-au-canari-mort qui lave à la brosse tandis que M'man passe la serpillière.

Tout en fourbissant, la dame sans bonheur résume les plaies variqueuses de son époux. Ça la dope.

— Dis voir, M'man, interromps-je, que t'a dit le Gros ?

Elle s'y attendait, Félicie, à ma crise de conscience. Son petit San-A., elle le connaît par cœur.

— Il paraît qu'un certain...

Elle hésite, rougit un peu et poursuit :

— ... qu'un certain Morpion a cherché à te joindre au bureau. Il voulait te parler d'urgence.

Ça fait un bruit de sac en papier crevé dans l'arrière-salle de ma conscience. Je me dirige d'une démarche automatique vers l'escalier.

— Je ne fais pas les filets de sole pour midi ? demande M'man.

Je n'ai pas la force d'ergoter. Je secoue misérablement la tête et je monte me fringuer.

-:-

La concierge de Morpion astique un

chandelier de cuivre au moment où ma gracieuse silhouette se découpe derrière la vitre de sa loge.

— Monsieur Maupuy, commencé-je...

— Sixième gauche !

— Je sais, mais il n'est pas chez lui !

— Que voulez-vous que j'y fasse ? demande la digne dame.

J'étudie sa question et je finis par admettre qu'elle ne peut comporter de réponse positive.

— Vous l'avez vu sortir ?

— Non. Mais j'ai été absente deux heures.

— Merci...

Je vais pour me tailler. Mon regard dégringole sur la tablette de bois où s'étale le courrier des locataires. J'avise une carte postale sur laquelle dansent en caractères maladroits les nom et adresse de Morpion.

Je choque la carte pour l'examiner de plus près.

— Gênez-vous pas ! s'égosille la cerbère.

Je suis son conseil et lis le libellé.

« Cher monsieur le Professeur,

J'espère que vous êtes bientôt guéri et qu'on vous reverra « prochènement » à l'externat. On a une professeuse pour vous remplacer. Ça vaut pas vous. Les autres et moi se joignent pour vous adresser nos meilleurs vœux de guérison.

De la part de Paul, de Riri, d'Albert et de moi, Victor Lécuyer. »

La carte représente un chat angora près d'un appareil téléphonique.

— Vous avez un fameux toupet ! clame la pipelette. Et si j'allais chercher un agent pour vous apprendre à vivre ?

— Ce serait une grave erreur, chère Madame, affirmé-je. Un agent ne me paraît pas tellement qualifié pour enseigner cette délicate matière.

Je lui produis ma carte et elle se calme instantanément.

— Ah bon, vous ne pouviez pas le dire tout de suite ? Qu'est-ce qui se passe ?

— A quelle heure le courrier arrive-t-il ?

— Huit heures...

— Malgré votre absence, les locataires

peuvent prendre le leur à travers ce guichet, n'est-ce pas ?

— Oui.

— Et M. Maupuy n'a pas pris le sien en sortant.

— Non.

— C'est curieux, n'est-ce pas ?

— Oui.

— Vous êtes certaine de pas l'avoir aperçu ?

— Non.

— Je ferais peut-être bien de remonter ?

— Oui.

— Il n'entend pas très bien ?

— Non.

N'étant pas doué pour le ping-pong, je quitte la dame pour me refarcir les six étages. Je file un nouveau coup de sonnette très percutant qui, dans cet immeuble bourgeois, fait l'effet d'un éclat de rire dans une église au moment de l'élévation.

Seuls, des miaulements de chats me répondent. Dans ce cas-là, il n'est que de faire appel à Sésame, le valeureux, pas vrai, mes biches ? La serrure de Morpion est aussi modeste que lui. Avec une fourchette à escargot on lui ferait rendre... gorge. En moins de temps qu'il n'en faut à un lapin pour devenir vison chez un fourreur, la porte s'ouvre. Trois greffiers se cloquent dans mes jambes en miaulant désespérément. Je bondis dans l'appartement, mû par un funeste pressentiment. Ça pue de plus en plus chez Morpion. Ses matous feraient la fortune de la maison Airwick. Mais, chose curieuse, mes craintes sont vaines. L'appartement est vide. Pas plus de Morpion que de babouches à l'intérieur d'une mosquée. J'ai beau regarder sous le lit, dans les placards et dans les tiroirs de la commode, je fais chou blanc.

Soulagé, je vais me planter devant la croisée. La façade du consulat est neutre comme s'il s'agissait du consulat de Suisse. Un je-ne-sais-quoi de bizarre, de troublant, me titille le gosier. Je m'interpelle sans façon et je me dis, à brûle-pourpoint : « Qu'est-ce qui ne tourne pas rond, San-A. ? Pourquoi ressens-tu ce malaise indéfinissable ? »

Je ne me réponds rien. Le logement est en désordre, mais c'est le désordre de Morpion. Les chats devraient composer une ambiance rassurante, et pourtant ils ont quelque chose de funèbre. Voyons : ce matin, Maupuy a appelé au bureau. Il voulait me parler d'urgence. Qu'avait-il à me dire ?

Il est sorti, négligeant, lui, l'homme routinier, de prendre son courrier chez la concierge.

C'est suspect.

Oh, naturellement, des tordus comme vous ne s'arrêteraient pas à ces minuscules détails. Vous autres, vous seriez capables de vous asseoir sur un fourneau sans même remarquer s'il est allumé ou non. Seulement, le commissaire bien-aimé travaille dans le minutieux, lui. Il a une sensibilité de forceur de coffres. Les impondérables c'est sa pâture. Alors, comme il est plus sensible qu'une plaque photographique, il est là, indécis, à se dire que ça carbure mal et à chercher pourquoi.

Je décide d'aller au burlingue interviewer Béru. Des fois que Morpion lui aurait fourni des explications ?

C'est en me dirigeant vers la lourde que

ma sagacité proverbiale (1) fait son turf. Je découvre ce qu'il y a de choquant dans l'appartement. Oh, il s'agit d'un léger détail, mes fils : on a décroché le petit balancier de la pendulette. Il repose à côté de celle-ci, tout bête. Le cadran inerte indique dix heures moins vingt. Je mate l'heure à ma propre horloge. Il va être midi.

Je ne sais pas ce que vous en pensez, mais j'en connais que ça étonnerait, non ?

(1) Vous m'en mettrez six caisses avec robinet.

CHAPITRE IX

— Béru est rentré chez lui, me dit le préposé. Il a du monde à déjeuner.

Avec un soupir gros comme le Mistral lorsqu'il est en rogne, je décide d'aller visiter les Bérurier. Je parviens dans leur immeuble au moment où un vieillard ensanglanté dévale l'escalier en courant, suivi d'une vieillarde glapissante, puis d'une quadragénaire larmoyante et enfin d'un gamin hilare. J'intercepte le petit monstre.

— Qu'est-ce qui arrive, joyeuse tête d'hilare? m'inquiété-je.

— C'est le tigre à M. Bérurier qui vient de mordre grand-père, m'explique-t-il en échappant à mon étreinte.

Chez les Béru c'est la consternation. Le Gros est en train de savater d'importance le minet du Bengale qu'il a ramené de Torrino (1).

(1) Voir : En peignant la girafe.

— Clémenceau ! A la niche tout de suite ! mugit le Dompteur.

Sa baleine me saute sur le poiluchard et m'inonde de ses larmes. Elle maudit son horrible bonhomme dont les marottes insensées compromettent la félicité du ménage. Explications : ils étaient sur le point d'acheter une petite maison de campagne en viager. Les « gens » en question étaient venus signer, mais le vieux propriétaire a pris une quinte de toux. Or, Clémenceau, le tigre des Bérurier, a horreur d'entendre tousser. Il s'est jeté sur le vendeur et l'a déguisé en Van Gogh, en lui mangeant l'oreille droite. L'affaire semble donc compromise.

Béru a fini par boucler son médor à rayures dans les gogues. Ça n'arrange rien vu que son Saint-Bernard s'y trouvait déjà, ainsi que la bonne. Un remue-ménage monstre éclate. La bonne, une blême-blondasse-à-verrues-poilues sort avec la lunette des ouatères autour du cou tenant le Saint-Bernard en laisse avec la chaîne de la chasse d'eau. Elle ne parvient pas pour autant (ni pour moins que ça) à contrôler le toutou.

Le tigre et lui se paient une peignée féroce. Berthe est obligée de se mettre hors d'atteinte en grimpant sur la table. Seulement le meuble est conçu pour supporter une coupe d'opaline et il s'écroule sous la charge. Berthe se raccroche au lustre. Lui non plus, le pauve biquet, n'était pas conçu pour. Il cède à Berthe, imitant en cela tous les livreurs du quartier. Le cétacé dérouille une vasque de verre format couvercle de lessiveuse sur la théière. Les éclats constellent les environs immédiats. En tombant, le lustre a entraîné deux mètres carrés de plafond. Malheureusement, ce plafond était à double usage puisqu'il servait de plancher au voisin du dessus.

Par l'orifice, on aperçoit un vieux monsieur surpris qui branche à tout va son sonotone à air conditionné sur la corrida.

— Bonsoir, monsieur Lesage ! lui crie aimablement Béru tout en cherchant à séparer les antagonistes. Excusez le désordre, c'est ces maudites bestioles qui nous font des misères.

— Non, merci, j'ai déjà déjeuné ! répond le sourdingue qui n'a pas pigé.

La bonne a fini par lâcher la chaîne. Elle

vient au secours de Berthe et lui enlève les morceaux de lustre plantés dans ses bajoues au moyen d'une pince à sucre. Elle pleure, la pauvre soubrette. Elle ne comprend pas qu'il puisse arriver des malheurs pareils étant donné qu'elle a sur elle une médaille de Lourdes bénite par Mgr Pétaouchenock en personne. Y a vraiment des trucs inexplicables en ce bas monde ! Béru est un cyclone à lui tout seul. Il affirme qu'il est le seul maître et qu'il va se fâcher. En représailles, le Saint-Bernard lui dérobe le fond de son pantalon, tandis que le tigre emporte la manche de son veston. Mais Bérurier sait traverser les épreuves le front haut. Il suit contre vents et ma raie son petit bonhomme de boulevard. Il court à la cuisine, s'empare d'une marmite posée sur le feu sans même prendre la peine d'en ôter le couvercle.

— Ah ! mes sagouins, éructe l'étrusque, une marmite d'eau bouillante, ça va vous calmer les nerfs.

Et vlan, il balance le contenu du récipient en direction des combattants. Horreur, il ne s'agit pas d'eau mais d'une onctueuse blanquette de veau. Re-horreur, c'est Berthe qui la réceptionne dans son décolleté. Ah ! mes aïeux, vous parlez d'une recette ! La blanquette de veau-gras double, c'est la trouvaille du siècle. B. B. se met à ululer comme les sirènes de midi le premier jeudi du mois. Elle dit qu'elle meurt. Mais elle le dit avec une énergie rassurante. Elle arrache son corsage de soie imprimée qui représente des choux-fleurs sur un fond de pétales de roses. Elle arrache son monte-charge à calandre blindée, elle défait sa gaine. Moi je vous jure qu'au Crazy Horse Saloon son numéro ferait sensation.

Honteux de son cruel échec avec la blanquette, le Gros emploie d'autres moyens plus vigoureux. Il s'empare d'un lampadaire en bois tourné et décrit des moulinets ravageurs. Deux potiches, la photo de ses parents, un plâtre d'art représentant un cerf dans un hallier, la couronne de fleurs d'oranger de madame (sous cloche de verre), le buste en sucre du général Weygand, un poste à transistors, le cadran du téléviseur, la glace de la desserte, le marbre de la cheminée, un chandelier en faux bois véritable, une langouste naturalisée, un baromètre au beau fixe, un broc à injection, une paire d'appliques Empire et la pièce montée destinée au dessert sont anéantis en un laps de temps extrêmement réduit. Le lampadaire s'abat enfin sur les antagonistes à poils. C'est le tigre qui morfle. Il éternue douze dents impeccables et s'abat. Déconcerté, le Saint-Bernard se met à lui humer le fouinozof. Un second coup de lampadaire le met à l'horizontale. Béru balance son arme par-dessus son épaule. L'abat-jour coiffe le chef de Berthe en costume d'Eve. Vous ne pouvez pas savoir ce qu'elle est choute, notre brave baleine, avec pour tout vêtement : des bas, un abat-jour en parchemin et une brûlure. Elle n'a plus la force de rouscailler. Finie, terminée, soumise, qu'elle est ! Il avait raison, Béru, c'est lui le seul maître à bord après Dieu. Il fait l'inventaire des décombres : son tigre est mort, le Sahara Bernard a l'échine brisée et il va falloir cavaler chez Lévitan pour rebecqueter le logement.

— Voilà ce dont il retourne quand on me fait sortir du Mékong ! lance-t-il en guise d'ultime avertissement.

Mais déjà, l'oreille de l'homme averti devine une légère angoisse dans sa voix. Il sait, le bon Gros, que le choc en retour ne tardera pas. Berthe, c'est pas le genre de paroissienne qui tolère longtemps un rebecca de cette ampleur dans sa carrée. Les représailles vont valoir le coup de cidre, les gars !

Là-haut, à l'étage au-dessus, le sourdingue s'est installé au bord du trou sur un pliant et continue de visionner comme un pingouin materait l'intérieur du détroit de Béring à travers un trou pratiqué dans la glace.

Il connaît ses bons voisins. Il sait que la deuxième manche va débuter et qu'on peut même espérer voir jouer les prolongations. Jusqu'ici, Béru mène au goal-average, mais sa baleine récupère. La voilà qui se relève, assistée de la bonne. Elle réintègre son slip et son corsage. Le plus gros étant emballé, elle est parée pour les manœuvres de printemps, la chérie. Son calme fait présager le pire.

Il se produit.

Elle regarde autour d'elle, ne trouve rien de satisfaisant et va dans leur chambre chercher de quoi s'assouvir. Elle en revient avec l'attirail de pêche de Sa Majesté, au complet. Avec dcs gestes méthodiques,

Madame déguise la canne à lancer en babou cambodgien rectifié en allumettes suédoises.

— Berthy ! lamente le Plaintif.

Elle n'en a cure. Maintenant c'est le moulinet à tambour qu'elle balance par la croisée. La bonne pleure de plus belle. Elle est bonne, la bonne, c'est son métier qui le veut. Elle récite un pater de foi en latin, un autre en breton, un troisième en gesticulant, mais le ciel ne semble comprendre aucune de ces trois langues ce matin. Mme Béru renverse la table de salle à manger pour avoir les coudées franches. Béru n'a plus d'espoir qu'en moi-même.

— San-A. ! supplie-t-il, causes-y ! T'as vu que tout n'était pas ma faute.

La Berthe lève son regard rouge toréador sur le voisin sonotonisé.

— Vous êtes témoin ! lui crie-t-elle, bravache.

— Il est midi vingt ! annonce le digne homme.

— Chère Berthe, intervins-je, vous devriez vous calmer. Une jolie femme doit avoir un parfait contrôle de ses nerfs.

Elle me demande si j'ai le contrôle de ses

fesses. Ne possédant pas ce privilège, force m'est d'en convenir avec toute la loyauté que vous me connaissez. Oh ! cette soupière-party, mes potes ! Le Limoges est à la peine. On prépare le planning de Saint-Gobain chez les Bérurier. Les locataires s'annoncent par toutes les portes de la maison. Des dames amènent leurs tricots, des messieurs en oublient Midi-Magazine. La concierge téléphone à la voirie pour demander aux boueux de prêter un camion d'urgence afin de déblayer les décombres. Peut-être qu'il va falloir prévenir les pompiers ?

Je m'interpose entre les deux époux.

— Sortez-vous, crétin, ou je vous assomme aussi ! vocifère la Gravosse.

— Un instant, chère madame, je n'ai qu'une question à poser à votre mari. Dis-voir, Gros, qu'est-ce qu'il voulait, Morpion, ce matin ?

— Te parler, bredouille l'Enflure. Il a dit que c'était extrêmement turgent. Question de vie ou de mort. Qu'il fallait te prévenir coûte que...

Il n'a pas le temps d'achever. La Berthe m'a contourné en brandissant un fauteuil et elle abat le lourd siège sur le portrait de son Obèse.

J'enjambe le Gros pour gagner la sortie de secours.

— Vous partez déjà ! s'étonne une vieille dame aux blancs cheveux.

— Oui, m'excusé-je, j'ai un rendez-vous urgent. Mais je tâcherai de revenir à la séance de 15 heures pour voir la fin.

CHAPITRE X

Le 44 de la rue Saint-Martin ressemble au 45, sauf qu'il se trouve de l'autre côté de la rue. C'est une maison tout en murs avec un toit et des fenêtres. Il y a une porte pour y entrer ; des escaliers pour monter dans les étages et une concierge pour recommander aux visiteurs de s'essuyer les pieds avant de les emprunter. Je demande à la dame en question où crèche Mlle Yapaksa Danlhavvi. Elle me dit qu'elle habite le rez-de chaussée, ce dont je lui sais gré, l'immeuble ne comportant pas plus d'ascenseur qu'un bungalow de plain-pied.

Une petite porte malade sur laquelle une carte de visite met une tache claire : c'est là ! Pas de sonnette. Je replie mon index et je me sers de ma seconde phalange comme d'un heurtoir. Miracle du progrès : on m'ouvre. Miss Tresses est là, avec ses tresses justement. Je vous prie de considérer que je suis le modeste interprète de la vérité la plus authentique lorsque je vous affirmai que cette gosse est une beauté, en plus joli !

Ses cheveux de jais mettent en valeur son teint mat et, une politesse en valant une autre, son teint mat exalte le brillant de ses cheveux de jais. Elle possède des yeux extraordinaires : mauves avec des bulles d'or dedans. Ses pommes légèrement saillantes, sa bouche charnue, ses narines palpitantes, sa taille être anglais (pardon : étranglée), ses jambes terminées par des pieds constituent à elles toutes une sorte d'espèce d'œuvre d'art qui ridiculise la Vénus de mon camarade Milo. Mais ce que cette magnifique créature a de plus beau, outre son calendrier des P. et T. dont la gravure représente un coucher de soleil pendant une éclipse de lune, c'est sa poitrine. Comme on connaît les seins on les adore, prétend un proverbe. Ceux de Yapaksa ont ce qu'il faut pour déclencher la ferveur publique. D'abord ils sont volumineux. C'est pas que je sois particulièrement porté sur la quantité, mais quand la qualité fait également partie du voyage il faut bien s'incliner, non ? Ceux de la demoiselle m'ont l'air drôlement costauds, les gars ! A côté d'eux, le marbre le plus dur ressemble à du caoutchouc mousse. On doit se faire bobo quand on se cogne sur ce carénage. Ils m'hypnotisent.

— Mademoiselle Danlhavvi ? croassé-je en la fixant dans le bleu des seins (elle porte un corsage pervenche).

Elle me refile un sourire que je voudrais pouvoir vous offrir à tous pour vos étrennes.

— Oh ! oh ! le commissaire San-Antonio, gazouille cette fleur d'Alabanie. Qu'est-ce qui me vaut le grand honneur de votre visite ?

J'en reste comme le radeau de la Méduse, les gars.

— Vous me connaissez ? détecté-je adroitement.

Elle s'efface pour me laisser pénétrer dans un logement d'une pièce, modeste mais propret.

— Qui ne vous connaît pas ! Et comment vous ignorerait-on après avoir travaillé pour Pinaud ! Son bureau était tapissé de votre image, monsieur le commissaire. Vous étiez le Dieu de son officine !

Pas besoin de la passer à la radio pour se rendre compte qu'elle est intelligente et pleine d'esprit. Ne vous faites pas de berlue ; moi, un petit lot Commak c'est ma pointure. Je l'emporte sans l'essayer.

J'aperçois sur une minuscule table une assiette contenant une tranche de jambon. Devant l'assiette un verre de lait (en anglais : *a glass of milk*) et près du verre une banane qu'elle destine peut-être à son dessert bien qu'elle m'ait l'air de vivre seule.

— Vous étiez en train de déjeuner, remarqué-je, je m'excuse de vous déranger.

— Je suis trop contente de vous connaître, riposte la belle enfant, voulez-vous que nous partagions ? J'ai une autre tranche de jambon dans mon petit frigo, vous savez !

— J'accepte à une condition, fais-je, c'est que je vous invite à dîner ce soir.

Ses paupières battent doucement, juste ce qu'il faut pour avoir l'air pudique sans avoir l'air pimbêche.

— Pourquoi pas ?

Aussi simple que ça, mes poulettes. Vous ne direz pas que le charme de San-Antonio c'est de la légende pour journal de mode ? A peine le temps de se dire bonjour et nous voilà comme deux amoureux. Elle ouvre une boîte de petits pois et met du beurre dans une casserole pour faire chauffer ces végétaux. Les merveilleuses nattes de la gosse sont des guides que j'aimerais saisir à pleines mains. Je lui en fouetterais doucement les épaules et je crierais hue ! Mais tel que je me connais, c'est moi qui avancerais. Si vous me trouvez trop osé dans mes propos, dites-le-moi : j'oserai moins.

On grignote en se regardant l'iris.

— Vous devez me trouver bien liante, n'est-ce pas ? murmure-t-elle soudain, mais M. Pinaud m'a tellement parlé de vous que j'ai l'impression de vous connaître.

Je me gaffe de ce que la Pinoche a pu baver sur mon compte. S'agit d'être à la hauteur de ses radotages car il en a sûrement remis, Pinuchet. Il m'a décrit comme étant l'épée number one du siècle ! L'homme à la matraque d'airain ! Le Casanova grand sport à triple carburateur !

— Au fait, pourquoi cette visite, monsieur le commissaire ?

— Parce que vous êtes Alabanaise, dis-je.

Elle se rembrunit, ce qui, vu la couleur de sa chevelure, est un tour de force.

— Je ne comprends pas.

— Il y a quelque temps, vous avez fait une demande de visa pour retourner dans votre pays ?

— Non pour y retourner, mais pour y aller, rectifie-t-elle, car je n'y ai jamais mis les pieds. Je suis née en France, mais j'ai de la famille là-bas que j'aimerais connaître, aussi, avant les dernières vacances, avais-je eu l'intention de...

— Et le visa vous a été refusé ?

— Oui.

— On ne vous a pas convoquée au consulat depuis ce refus ?

— Non. Pourquoi ?

J'hésite à lui bonnir le pourquoi du comment du chose.

— Avez-vous lu les journaux ? biaisé-je.

— Bien sûr.

— Vous avez lu les petits incidents qui se sont produits rue de la Pompe ?

Elle opine.

— En effet. Ce vitrier tombé de la fenêtre hier, et ces deux meurtres des gardiens, la nuit. Vous enquêtez à ce propos, commissaire ?

— Sur la pointe des pieds, souris-je.

— Je comprends, M. Pinaud vous a parlé de moi et vous avez cru que je vous aiderais à comprendre la mentalité alabanienne ?

— Y a de ça en effet.

— Hélas, je ne vous serai pas d'un grand secours, avoue Yapaksa en souriant modestement. J'ai été élevée à la française, par une mère française. Papa ne m'a guère donné que son nom. Je suis allée deux fois au consulat : une première fois pour déposer ma demande, une deuxième fois pour aller chercher le refus. Je ne connais aucun Alabanien.

— Vous parlez la langue ?

— Ce que j'en connais me servirait tout juste à commander un steak pommes frites dans un restaurant de Strukla, la capitale...

Elle me sert ses petits pois. Je suis chaviré par sa présence, par son parfum.

— Où travaillez-vous en ce moment ?

— J'ai un emploi dans une manufacture de trous farcis ; mais je suis en vacances pour six jours. La maison est allée se réapprovisionner en trous.

J'aimerais essayer de pousser mon avantage en bousculant les siens tout de suite après les petits pois ; seulement je suis préoccupé par mon brave père Morpion. Qu'avait-il donc de si urgent à me dire ? Pourquoi a-t-il prétendu que c'était une question de vie ou de mort ? Où est-il allé ? Pour quelle raison a-t-il décroché le balancier de sa sacrée pendulette ? Autant de questions captivantes auxquelles je ne puis répondre !

— Vous semblez songeur, commissaire ?

— Je le suis.

Et comment qu'il est, votre beau San-Antonio, mes naïades ! Ce qui me trouble le plus dans tout ce bouzin, c'est peut-être mon propre comportement ! Tenez, ce matin, je me réveille après une nuit ô combien agitée et au lieu de me ruer au turbin, je décide de flemmarder dans les jupes de Félicie ; curieux, hein ? Je finis par me coller tout de même entre les brancards mais je ne vais pas très loin et me voici en train de faire la dînette en compagnie d'une jolie petite péteuse que je ne connais (encor) ni des lèvres ni des dents. Mais qu'est-ce qui t'arrive, mon San-A. ? Tu couves les oreillons ou quoi ? C'est pas normal, ça ! T'aurais pas par hasard le bulbe qui bourgeonnerait ou les hormones qui perdraient de la valve ? Ça se soigne, ce que tu as, fils ! Faut consulter, et pas lésiner sur la plaque du toubib. Le chef de clinique à vingt raides le palpage, tout de suite !

Je gamberge un moment, les yeux perdus dans le décolleté — trop timide à mon gré — de Yapaksa. J'ai l'impression d'être sur les pentes immaculées de Courchevel, les gars.

— Dites, mon petit cœur, murmuré-je après avoir fait surface, vous savez que j'aimerais bien avoir des tuyaux sur l'Alabanie nouvelle et les Alabaniens. Il doit bien y avoir une colonie à Paname ?

— Je connais un restaurant alabanien près de la place Péreire. On y mange du Krassouillard-Panné et de la Khoulianbâton aussi bons, paraît-il qu'à Strukla.

— Et à part ce haut lieu gastronomique ?

— Je ne connais rien d'autre.

— On pourrait aller y dîner ce soir ?

— Si vous y tenez, avec plaisir ; je suis en vacances, vous dis-je.

Nous partageons la banane et ma ravissante hôtesse me propose du café. Riche idée, peut-être que ça me remettra en selle ? Je m'assieds sur son divan tandis qu'elle prépare son caoua.

— Vous vivez tout à fait seule ? lui dis-je.

Question épineuse. Elle hoche la tête.

— J'avais un ami, mais nous avons rompu.

— Si bien que vous êtes tout à fait en vacances ?

Elle vient s'asseoir auprès de moi tandis que le caoua est en train de passer. J'ai idée que mon physique avantageux (les deux pour le prix d'une !) lui porte à la peau. Je vérifie : c'est oui. Mon bras en lasso (comme dirait Gloria) l'enlace. Elle se laisse harponner, gentille. Elle est pour le baiser ardent, Yapaksa. Les mimis dégustés avec une paille, elle n'aime pas. Ce qui lui faut c'est la grosse livraison en vrac. Après on fera le tri.

A sa frénésie je pige combien la solitude lui pesait. Les solos de mandoline ça finissait par la fatiguer, la pauvrette. Elle avait besoin qu'on lui entonne l'air de la Légion, version belge : « Tiens, voilà du Baudouin, voilà du Baudouin !

Je lui refile les cours de la Bourse en morse. Elle grimpe, grimpe ! La voilà posée sur son orbite. Elle geint, elle crie, elle cause. Elle m'appelle Fernand, mais je m'en fous, je ne suis pas sectaire. Il y a tellement de nanas à travers le vaste monde qui appellent leur mari San-Antonio lorsqu'ils jouent les supermen ! D'ailleurs, malgré sa pâmoison elle se rend compte de son lapsus et s'en excuse, je lui accorde son pardon bien volontiers. Les ébats se poursuivent avec une grande courtoisie. Les pourparlers semblent rester un moment dans l'impasse, mais une reprise du dialogue s'engage de nouveau et nous parvenons à un aboutissement heureux qui donne pleine et entière satisfaction aux deux parties. Comme je m'apprête à lui dire merci et elle à me dire encore, voilà qu'on frappe à sa porte. Nous avons une même grimace. Yapaksa me considère d'un œil morose, maudissant le fâcheux qui se permet de perturber une aussi noble partie de plaisir. On re-toque.

— Ouvrez ! lance une voix forte. Police !

J'en ai la glotte qui trépide comme une jeep dans une terre labourée. Si les poulets font une descente chez Miss Tresses, je vais avoir bonne bouille, mes frères, dans la tenue où je suis !

— Un instant ! répond la gosse

Elle se lève tandis que je me blottis sous les draps. En tenue d'Eve, elle va jusqu'à la porte, et actionne le verrou en s'effaçant le plus possible de côté pour masquer sa nudité. Elle entrouvre imperceptiblement la lourde et coule un œil dans le couloir.

— Que me voulez-vous ? demande-t-elle.

— Vous êtes mademoiselle Danlhavvi ?

— Oui, mais pourquoi...

Un étrange bruit se fait entendre. Ça ressemble à un petit marteau piqueur. La porte vibre et des trous s'y découpent d'une façon hallucinante. Dans un éclair je pige tout : on assaisonne Yapaksa avec un gros calibre muni d'un silencieux. Par miracle elle échappe à la terrible rafale. Et vous savez grâce à qui elle s'en sort, ma jolie

Alabanienne ? Grâce à ce bon commissaire San-Antonio. Merci, monsieur le commissaire : ça c'est du bol ! Vous avez été bien inspiré en convoitant cette douce enfant, en l'ensorcelant, en l'accaparant, en l'annexant, en l'indexant, en la faisant mettre à loilpé. Comme elle est nue, sa pudeur l'a obligée à se tenir tout à fait en biais afin de dérober son corps d'albâtre aux regards salaces des visiteurs. Vous pigez ? Si bien que le tireur qui la mitraille au jugé ne se rend pas compte que ses valdas se perdent dans le mur d'en face. La seringuée s'achève. Je cramponne à la volée deux objets de première nécessité, à savoir : mon slip et mon revolver. D'une poussée j'écarte la gosse plus morte que vive et je fonce dans le couloir. A la porte d'entrée, il y a un type assez menu, sanglé dans un imperméable verdâtre et coiffé d'un chapeau imperméable. Il bombe comme un perdu. La concierge crie en m'apercevant dans l'appareil où je suis. Pour calmer ses angoisses j'enfile mon slip et je sors dans la rue Saint-Martin, le pétard à la main. Vous verriez les badauds, les frimes qu'ils exposent en vitrine, mes lapins ! C'est pas racontable ! Un homme presque nu qui fonce en brandissant un revolver, ils ont jamais vu ça, jamais ! L'homme à l'imperméable vert s'est aperçu que je le coursais et il les met en passant le grand développement. Si la rue Saint-Martin était dégagée je me paierais un carton, mais j'ai trop peur d'assaisonner des innocents. D'ici pas longtemps, c'est moi qu'on va choisir comme cible. Les bourdilles vont me prendre pour un dingue en crise et faire le nécessaire.

J'ai un gros avantage sur le poursuivi : je suis nu-pieds et ce ne sont pas les fringues qui me gênent pour courir.

Je gagne du terrain nettement. Dix mètres encore et il est à moi. Il le comprend et tire par-dessus son épaule gauche. La balle me siffle à l'oreille et va se perdre dans le radiateur d'un camion. Plus que six mètres.

— Arrête ou tu es mort ! lancé-je.

Au lieu de répondre, il défouraille encore, mais il ne lui reste plus de pralines dans son bocal. Alors il s'engouffre sous un porche. J'y pénètre à sa suite. Il s'élance dans un escalier de bois ; moi itou (comme dirait Troulala).

Je plonge et je saisis un pan de son imper. Je tire. Cette carne défait son vêtement qui me reste dans les pognes. Il poursuit son ascension. Je continue la mienne. Il m'a repris un peu d'avance. Je l'entends qui réarme son arquebuse tout en escaladant les marches. On franchit le premier étage, le second, puis le troisième. Au quatrième c'est le terminus : tout le monde descend. Je pige sa tactique. Il se couche sur le palier, stratégique de première classe. Le gars Bibi au ras de l'escalier. Il occupe une position ne commet pas l'imprudence de poursuivre la grimpée. Au contraire, je me hâte de redévaler quelques marches de manière à me trouver sur le palier du troisième. Nous voici quittes, en somme. Je ne peux plus monter, mais lui ne peut plus descendre. Je préfère ma position à la sienne. D'en bas me parvient une rumeur de foule. Puis de grosses godasses signées Poulmane's house font chanter les vieilles marches de bois. Des pèlerins en pèlerines montrent le bout de leurs képis à l'étage au-dessous. Vu en coupe, il serait bidonnant, cet immeuble !

— Jetez votre revolver et levez les bras ! m'ordonne un agent.

On a raison de dire que l'agent ne fait pas le bonheur.

— Ne vous tracassez pas pour moi, les gars, leur dis-je, je fais partie de la police. Appelez plutôt des renforts car il y a un type dangereux à alpaguer à l'étage au-dessus.

— Si vous ne jetez pas tout de suite votre arme, nous tirons ! répond le poulet.

Vous parlez d'un petit incrédule !

— Je suis le commissaire San-Antonio, lui révélé-je, certain de l'épater.

— Et moi le duc de Guise, rétorque ce fin lettré qui ne doit pas rater les émissions de M. Castelot.

Pour lui un flic ne saurait se balader en slip dans les rues de Pantruche, comprenez-vous ? On est conformiste dans la Rousse.

Si mon ange gardien ne me débloque pas dare-dare (comme dirait mon ami Frédéric) un crédit d'imagination, je vais me faire repasser par les archers de ma compagnie, ce qui serait un comble.

— Ne tirez pas, bon Dieu, puisque je vous répète que je suis San-Antonio. Allez au 44 de la rue, chez Mlle Danlhavvi, vous y trouverez mes fringues et mes papiers.

— Et pendant ce temps, vous...

J'ai une idée de génie.

— Le commissaire de votre quartier s'appelle Nézel. Gaston Nézel, dit Tonton ; vrai ou faux ?

Les poulardins sont troublés.

— Et avant lui c'était le commissaire Plucheux, Edouard Plucheux. Il avait une tache de vin sur la joue droite.

J'ai gagné, les gars.

— Peut-être qu'il dit vrai ? suggère le deuxième poultock.

— Je vous demande d'aller chercher des renforts. Il y a à l'étage supérieur un tueur que je veux attraper vivant...

— Pas besoin de renfort ! fanfaronne le poulet incrédule.

Il me rejoint, son pétard à la main. Au passage il me dévisage.

— En effet, soupire-t-il, je crois bien que vous êtes le commissaire San-Antonio.

— Et moi j'en suis persuadé, réponds-je.

Il manque de déférence. Le tordu qui a prétendu un jour que l'habit ne faisait pas le moine devait avoir une chenille velue à la place de la cervelle. Je vous garantis qu'un superman déloqué n'impressionne plus ses subordonnés. Pour bien me prouver sa suffisance, le gardien of the peace continue de gravir les marches. Et, naturellement, ce qui devait se produire, se produit : il écope d'une prune en plein cigare. Il reste un instant immobile, sidéré, puis il bascule en arrière et reste étendu sur les marches, la tête en bas. Un gros filet de sang ruisselle sur l'escalier avec un petit bruit immonde.

— Vous avez pigé, maintenant ? fais-je au second poulet. Alertez la brigade des gaz et en vitesse.

Il ne demande pas mieux que de se rabattre à l'air libre.

La détonation n'a pas fait beaucoup de bruit grâce au silencieux (c'est une marotte chez ces Alabaniens). Pourtant, les gens de l'immeuble commencent à débouler de leurs logements, alertés par le brouhaha. J'entends une porte s'ouvrir, au-dessus de moi. Un nouveau coup de feu claque. Un cri lui répond, suivi de la chute d'un corps. Je perçois un piétinement. Le tueur vient de quitter son poste de guet pour se terrer chez un locataire qu'il vient d'effacer. Je me hasarde. En effet, le palier n'est plus occupé que par un cadavre de vieux monsieur.

Le malheureux agonise avec des petites ruades tragi-comiques. La vie est un mal dont on a parfois de la peine à guérir.

Au quatrième, il n'y a qu'une porte, je n'ai donc pas le choix. Je me claque au mur, et j'appuie le canon de mon camarade Tu-Tues contre le trou de la serrure. Je tire. La détonation fait un bruit d'enfer et la porte s'ouvre. Je risque un œil. L'appartement est minable : deux petites pièces sales, noires, chichement meublée. Une fenêtre ouverte, j'y cours... Mon tueur fuit par les toits. Il a sauté sur la couverture de zinc d'un hangar situé cinq mètres plus bas, et il court en direction d'une cheminée. Je sauterais bien, mais sans souliers je risque de me claquer la cheville. Alors j'avance le bras, je ferme un œil. C'est toujours un instant terrible que de tirer sur un fuyard. Répondre à une attaque c'est spontané, ça ne demande que des réflexes. Mais viser un type qui se débine nécessite une force de caractère peu commune. Je vise ses jambes et je lâche mes bastos. Une, deux, trois, quatre. Posément. Le gars fait une pirouette, ses flûtes lui disent bonsoir et il s'abat sur le toit. Il cherche à se cramponner, mais la pente le happe, l'entraîne, l'absorbe. Il roule de plus en plus vite. Il perd son chapeau de toile qui reste à plat, bête et anachronique sur cette immensité de métal gris. Il roule vers le gouffre de la rue. Un instant il parvient à agripper le chéneau, d'une main. De celle, hélas, qui tient le revolver. Il n'a pas lâché son arme. Cette gouttière qui pourrait le sauver, il ne la tient qu'avec deux doigts, c'est trop peu pour son poids et il disparaît. Je demeure immobile, crispé, fou d'appréhension. Ça a beau n'être qu'un tueur sans scrupule...

Des cris lointains, un choc plus lointain encore.

Je regarde le chapeau sur le toit. Pendant un instant, l'univers me paraît aussi triste et vide que ce chapeau.

CHAPITRE XI

La pèlerine d'agent, c'est comme les couteaux suisses : ça possède des usages multiples. Celle de l'agent cané me sert à combattre ma presque nudité et celle de son collègue à masquer le corps disloqué du tueur.

Je ressemble à un roi mage, faut reconnaître. Enquêter en slip et en pèlerine noire dans une rue populeuse de Paris, c'est un exploit que je croyais vivre qu'en rêve, si je puis dire. Les badauds sont plutôt ahuris. Il y a un touriste amerlock qui me photographie sur toutes les coutures. J'explore les poches du buteur buté : elles sont vides. Pas un papier, pas la moindre carte de pêche, pas le plus petit ticket de métro : un peu de fric et c'est tout. Je contemple le visage du défunt — ce qu'il en reste — et je constate qu'il s'agit d'un ouistiti d'une trentaine d'années, grêlé comme un mois de mars. Inutile de perdre mon temps, l'Identité s'occupera de sa pomme. Je regagne le gîte de Yapaksa. La pauvrette est morte de frousse. D'un doigt mélancolique elle caresse les trous de balle agrémentant le mur. L'un des projectiles a pulvérisé un petit Sèvres qu'elle avait acheté à Babylone et un autre a perforé son soutien-gorge posé sur le dossier d'une chaise.

— Dites, poulette, il y a de la distraction dans votre quartier, lancé-je en plaisantant.

Elle me demande la suite des événements et je la lui résume.

— Pourquoi m'a-t-on tiré dessus ? balbutie-t-elle. Qu'est-ce que j'ai fait ?

Elle emploie le même langage que le bon Pinaud, cette nuit. Tous les innocents ont de ces protestations lorsque le sort est trop injuste.

— Il faut voir, évasivé-je sans me mouiller.

Notez que j'ai ma petite idée là-dessus. Assez vague, j'en conviens, mais intéressante tout de même.

— C'est quelqu'un qui vous aura suivi,

n'est-ce pas ? insiste-t-elle afin de se rassurer.

Je branle le chef.

— Non, mon cœur, pardonnez ma franchise, mais c'est bien vous qui êtes en question. Si on m'avait suivi, le tueur n'aurait pas eu le culot de se prétendre de la police, sachant qu'un authentique commissaire se trouvait chez vous.

Je lui vaseline mon regard irrésistible numéro 14 bis, celui qui a fait frissonner l'impératrice du Sénégal et donné des vapeurs à la Présidente de la République esquimaude.

— Et on peut dire que je m'y trouvais chez vous, pas vrai, ma toute belle ?

Ça lui redonne quelques couleurs.

Puisque je n'ai rien de caché pour vous, les gars (vous êtes truffes mais sympa) je vais vous révéler le pourquoi du comment de ma pensée. Lorsque Pinuche a fait au consulat d'Alabanie son numéro de vitrier, ces messieurs l'ont reconnu. Le vieux Chpountz figurait sur la photo de Yapaksa, souvenez-vous. Alors ils ont logiquement conclu que Miss Tresses avait aussi trempé dans cette histoire et une opération punitive a été décidée.

Je peux me gourer, mais ça m'étonnerait.

— J'ai peur, m'avoue Yapaksa en frissonnant.

Je la serre contre moi. Ses cheveux dénoués ruissellent autour d'elle et lui tombent jusqu'au pervertisseur à crinière.

— Je suis là ! fais-je observer.

Et pour le lui prouver, je fais tout pour être un peu là !

-:-

Huit plombes. Paris brille de tous ses néons.

Yapaksa et le gars moi-même débarquons au restaurant alabanien de la place Péreire. C'est une boîte typique. Les loufiats portent le costume national alabanien : boxer short en peau de zombie, bottes d'égoutiers à éperons d'argent, maillot rayé, collier de nougat et ils ont tous une plume de condor piquée dans les cheveux (sauf un qui est chauve et qui la fait tenir avec du sparadrap). Les murs sont peints à fresques. Celui du fond représente le mont Houlalha sous la neige (le point culminant de l'Alabanie 88 centimètres), celui de droite un troupeau de kornachaüssurhs, ces animaux ongulés qui ont assuré le renom de l'Alabanie ; celui de gauche montre la bataille de Chetouille au cours de laquelle les Alabaniens défirent les troupes de Clystère II dit le Grand Chiatique ; le mur du milieu, lui, est entièrement consacré au sacre de Bougnazal-l'Unique, l'ancien roi (et le seul) d'Alabanie. On sait que son règne qui commença le 31 janvier 1904 s'acheva le 1er février de la même année après que le Monarque eut promulgué un train de décrets rendant le papier hygiénique obligatoire dans les ouatères publics, rétablissant l'usage du coupe-cigares, interdisant la vente au détail du bandage herniaire, et autorisant le poil à gratter dans les cinémas. La fresque représente Bougnazal-l'Unique debout dans sa Dedion-Boutons découverte, et brandissant en guise d'épée un appareil à fly-toxer. Une banderole peinte à l'huile de foie de morue porte cette fière devise « Cithunanveupâ Jlarmé Dhanmakhuloth », ce qui veut dire, vous vous en doutez : « Il faut vaincre ou mourir. »

Un maître d'hôtel nous drive jusqu'à une petite table discrète. C'est Yapaksa qui passe la commande ; je lui dis de faire les choses en grand, aussi compose-t-elle un menu de qualité : Timbale de crapauds au sirop de sapin ; Figure de fifre à la Veuve Clito ; Rôti de Maucassin ; Pimbêche Melbapa, le tout arrosé de Cocasoda, un petit vin du pays en bouteille chez Nhikolha.

Tout en tortorant, je fais de la jambe à ma compagne. Et, comme je suis ambidextre, tout en lui faisant de la jambe, je scrute l'établissement. Les convives sont des gens paisibles.

— Vous ne connaissez personne, ici ? questionné-je.

— Non, assure Yapaksa après un regard circulaire, absolument personne.

Il est tristet vore beau San-A., mes belles. Il se dit que ça piétine, que c'est décousu, compliqué, idiot, que ça ne mène à rien, que les bougies sont encrassées et que les roues avant de son enquête ne sont pas motrices, que la mentalité de ces Alabaniens qui hésitent si peu à vous faire le coup du père François lui échappe et qu'il serait beaucoup mieux au cinoche à visionner un western en technicolor dans lequel les pétards ont le mérite d'être chargés à blanc !

Le repas ne m'apporte pas ce que j'escomptais. La tortore n'est pas mauvaise, mais je préfère le coq au vin et le tournedos Rossini à ces mets barbares. Aussi ne fais-je pas long feu pour demander l'addition. La note est plus salée que la boustifaille. Ça n'arrange pas mon pessimisme. Enfin, j'ai toujours la ressource (thermale) d'emmener Yapaksa dans un endroit avec eau chaude pour lui mimer le troisième acte de Adada, opéra bouffe pour clarinette à moustache. Au vestiaire, la môme me demande de l'excuser, because elle veut se recharger les labiales. Elle disparaît dans les toilettes. Je bigne la préposée aux survêtements, mais elle ne vaut pas une œillade. C'est une tarderie revêche aussi sympathique qu'une piqûre de guêpe. Pour tromper l'attente, je m'approche d'un grand panneau vitré fixé à la cloison du vestiaire. Derrière la vitre sont épinglés différents petits cartons blancs maladroitement calligraphiés. Il s'agit d'annonces réservées à la colonie alabanienne. Entre pays, on se propose des appartements, des meubles, des maisons de campagne, des bagnoles ou des emplois. Je parcours distraitement les textes. Ça ressemble à la vitrine d'une agence immobilière. Il y a des photos de maisons ou d'autos pour illustrer les propositions. Comme je vais m'arracher à ma lecture, le regard à crampon du célèbre commissaire San-Antonio tombe sur un carton plus grand que les autres et qui, lui, est dactylographié en deux couleurs. Savez-vous ce que j'y lis ? Tenez-vous bien, y a du tangage !

« *Nurse et chauffeur bonnes références sont demandés au consulat général. Prière téléphoner au 967.05.32.* »

Je n'en crois pas mes pupilles (de la nation).

— Elle est récente, cette annonce ? je demande à Mme Lardeuss.

La numéroteuse de cintres regarde là où ce que le gars San-A. appuie son index.

— Je l'ai punaisée cet après-midi, révèle-t-elle.

Après quoi, elle m'abandonne pour restituer le pébroque d'un client.

Je m'empresse d'inscrire le numéro de

téléphone porté sur l'annonce. Il doit correspondre à une banlieue ouest de Paris.

Je remercie le Dieu des policiers qui a eu la bonne idée de me faire lire ces annonces. Je n'ai pas perdu mon temps en venant ici. Cette certitude me réconforte. Je mate ma toquante : elle raconte dix plombes. La môme Yapaksa n'en finit plus de se repeindre la devanture. Voilà au moins dix minutes qu'elle est entrée dans les toilettes. Je poireaute encore devant la girl à moustaches du vestiaire qui finit par partager mon inquiétude.

— Ça vous ennuierait d'aller voir où elle en est ? je demande.

Elle y va. Courte absence ; la préposée radine, l'air soucieux.

— Elle est enfermée dans les vécés et ne répond pas, me révèle-t-elle, j'espère qu'elle n'a pas eu un malaise.

Je bondis à l'intérieur des toilettes et je vais secouer la porte fermée.

— Yapaksa, mon amour ! crié-je.

Mais le silence reste entier. Je n'hésite pas. D'un coup d'épaule, je fais sauter le verrou de la lourde. Malédiction ! comme on l'écrivait dans les romans du siècle dernier : ma petite camarade de divan gît sur le sol des vouatères. Elle est pâle, elle a le nez pincé, les yeux clos. Je glisse ma main dans son corsage pour voir si le camarade toc-toc fonctionne toujours. Hélas ! hélas ! hélas, il a déclaré forfait. La môme est morte. Vous parlez d'une tuile ! Je l'examine rapidos et ne trouve aucun signe suspect. Elle a fermé en douce, toute seule.

J'admire la célérité et la présence d'esprit des tauliers. Avec une discrétion louable, des loufiats viennent chercher Yapaksa et l'évacuent dans les appartements privés du gargotier situés dans la maison agaçante. On mande un toubib du quartier. Il radine, constate le décès et déclare que la pauvre môme est canée d'une embolie. Il nous conseille de l'emmener en douce chez elle afin d'épargner au patron du restaurant les ennuis des délais légaux. On la charge dans ma tire et je fonce vers la morgue. J'estime qu'une autopsie s'impose.

Pas vous ?

CHAPITRE XII

Drôle de promenade nocturne, vous en conviendrez ?

Le corps de ma ravissante Yapaksa ballotte sur le dossier du siège et, par instants, me tombe dessus. Je suis obligé de le redresser avec le coude. Un vrai cauchemar. Enfin, je débarque ma passagère à la morgue et je téléphone au légiste en lui demandant de l'examiner d'extrême urgence. Il se peut que la petite soit morte d'embolie, mais ça me paraît douteux.

— Vous me téléphonez les résultats de votre examen à mon bureau, docteur, dis-je.

Je quitte le sinistre endroit d'une allure découragée et je pénètre dans le premier bistrot venu pour me farcir une double vodka. Décidément cette gosse ne devait pas voir la fin de la journée. Ses vacances sont terminées. Maintenant elle s'explique avec le barbousard d'en haut. J'espère qu'il ne la chicanera pas trop sur ses péchés : elle les commettait si bien !

Je bois une deuxième double vodka, mais ça ne me réchauffe pas le mental. Il y a des jours où on pourrait se cogner du vitriol sans que ça vous dope le moins du monde.

-:-

— Eh bien ! on peut dire que vous vous êtes embarqué dans un fameux imbroglio ! conclut le Vieux.

Il joint ses mains sur son buvard, regarde ses ongles roses et soupire :

— Nous enquêtons au bord d'un précipice. On ne peut avancer.

— Les morts de la nuit dernière ? j'interroge.

— On nous a demandé de conclure à un double crime de cambrioleurs dérangés.

— Qui vous a demandé cela ?

— Le consul général. Il m'a téléphoné en personne ce matin.

— Sans vous fournir d'explications ?

— Il n'avait pas à m'en fournir, il sait

bien que — chez nous surtout — le corps diplomatique jouit de tous les privilèges.

— Il n'a tout de même pas celui de mitrailler les malades dans les hôpitaux, les jeunes femmes à leur domicile, les agents en exercice et de défenestrer les vitriers vrais ou faux ! explosé-je.

Le Vioque me jugule du geste.

— Certes non, admet le Tondu, mais le cœur de l'enquête se trouve au consulat. Or c'est un terrain interdit.

— Et si je m'introduisais dans ce terrain interdit, patron ?

Il secoue énergiquement la tête.

— Très peu pour moi, l'affaire de cette nuit me suffit ! Bérurier a abattu deux membres du personnel, c'est assez !

— Ces membres s'apprêtaient à me tuer, je me permets de vous le faire remarquer. La nuance n'est peut-être pas très grande, mais j'y tiens.

— Vous vous étiez introduit au consulat par effraction ! objecte le Dabe.

Ma parole, voilà qu'on va recommencer à se tirer la bourre, lui et moi.

— Selon vous, le mieux serait de tout laisser tomber ?

Il fronce les sourcils.

— Ai-je rien dit de semblable ? Non, mon cher, je vous demande seulement d'agir avec discrétion, en respectant la règle du jeu. Or le jeu veut que vous ignoriez le consulat.

— Le consulat peut-être, mais pas la demeure particulière du consul.

— Qu'entendez-vous par-là ?

— Je viens de me renseigner en potassant l'annuaire des téléphones ; c'est une lecture édifiante, monsieur le directeur. Le consul habite Rueil-Malmaison, tout comme le Premier ?

— Quel Premier ?

— Le Premier Consul, autrement dit Bonaparte !

Il a toujours eu horreur des à-peu-près, le Vioque, surtout dans les périodes graves.

Ma boutade doit être de Dijon car elle lui monte au naze.

— Oh ! je vous en prie, mon cher, les calembours...

Je m'obstine à sourire, ça m'évite de lui faire un shampooing avec le contenu de son encrier.

— Je disais donc, monsieur le directeur,

que le consul d'Alabanie habitait Rueil-Malmaison. Or il cherche du personnel, cet homme. Il a besoin d'une nurse et d'un chauffeur. J'ai toujours rêvé de connaître la vie des gens de maison, et surtout des gens de Malmaison, ajouté-je histoire de lui fêler sa coquille. Si vous voulez bien me faire préparer pour demain de faux papiers et de faux certificats, je tenterai ma chance...

Il se détend.

— Voilà qui n'est pas bête, dit-il. En effet, vous pourriez peut-être...

Son bigophone à modulateur de fréquence stride et il décroche.

— Pour vous, grogne-t-il en me tendant le combiné : le médecin légiste.

Le toubib m'annonce qu'il n'a rien découvert de suspect à l'autopsie de la malheureuse Yapaksa. Elle semble bien être morte de sa bonne mort, ce qui constitue une faible consolation.

Mais il faut attendre les résultats de toute une série d'analyses avant d'être formel. Je remercie le praticien pour sa diligence (il boit les vins du Postillon) et je demande au boss l'autorisation de me retirer dans mes terres.

Il me l'accorde.

Avant de regagner ma gentilhommière, je vais écluser un demi au bistrot d'en face. Béru y pérore au milieu d'un groupe. Il a du sparadrap plein le front, le nez éclaté, un œil au beurre noir, une arcade suturée, et un bras en écharpe. Il raconte son « accident ».

— La vioque se lance sous les roues de l'autobus. Elle allait y passer et se faire ratatiner. Moi j'hésite pas : je fonce, je la prends par la taille, je la propulse sur le trottoir, mais j'ai pas le temps de me garer des taches et le taubus m'uppercute en plein. J'ai cru que ma citerne éclatait. Les gens s'annoncent ; j'ai toutes les peines du monde à les empêcher de me porter en Triumph. Si je vous disais qu'un vieux crabe avec la rosette sur canapé m'a demandé mon blaze pour me faire avoir la médaille de sauvetage ?

Un murmure flatteur salue cet exploit. Je juge l'instant ad-hoc pour me produire en grand gala mondial. Je chique à l'innocent, qui n'a rien entendu et qui gaffe sans le vouloir.

— Et alors, Béru, m'apitoyé-je, ta femme

s'est calmée, oui ? Elle t'a mis dans un drôle d'état, mon pauvre lapin. Tu sais que c'est un cas de divorce. Si tu te décides, compte sur moi pour témoigner.

— Qu'est-ce tu racontes ! bredouille l'Immonde en me virgulant des œillades éplorées.

Les spectateurs commencent à se fendre la tirelire.

— Son ogresse le tuera un de ces quatre mornings, présagé-je lugubrement. Il est d'une faiblesse avec elle, le pauvre Gros !

La marrade est générale. Les buveurs abreuvent son Enflure de sarcasmes. Tant est si bien que l'Outragé finit par fendre le marbre du guéridon de son poing.

— Je permets pas qu'on traite Mme Bérurier d'ogresse ! tonne Sa Majesté. Si j'eusse des mots avec elle, ça ne regarde que moi. Dans tous les ménages y a de la zizanie, ça entretient les sentiments !

Il vide son glass et se lève.

— Si vous comptez que je paie ma tournée, vous pouvez toujours vous l'arrondir !

Je le rattrape alors qu'il est déjà à cinquante mètres de là, boitant bas comme un vieux bourrin.

— Ecoute, Gros !

— Mes choses ! Les dégourdis qui veulent faire prendre ma tête pour le derrière d'un singe, je n'ai plus rien de communiste avec eux ! Qu'ils soyent mcs supérieurs rachitiques ou non, c'est du même !

Il me faut dix minutes et un triple Cinzano dans le bistrot suivant pour arriver à le calmer.

Lorsque son courroux s'apaise enfin, je me mets à lui parler travail.

— Ecoute-moi, vieille besace, lui dis-je, demain nous déclenchons une offensive générale contre l'Alabanie.

— C'est la guerre ?

— Pas encore. Mais si tu es à la hauteur de ta tâche, elle pourra être évitée. Voilà ce que nous allons faire.

Et je lui expose mon plan.

Je l'expose à Béru mais pas à vous parce que vous êtes trop tarés, à la fin. Et il y a des soirs où je ne supporte pas !

CHAPITRE XIII

Le lendemain morninge, d'assez bonne heure, je radine au bureau dans une mise particulière. J'ai revêtu un vieux costume gris foncé, fatigué mais honnête, de vieux souliers craquelés mais bien cirés, une chemise blanche et une cravate noire. Ma glace est formelle : j'ai tout du chauffeur de grande maison en civil. J'ai poussé le souci de la vérité jusqu'à me coiffer d'un bitos taupé, au ruban un peu moisi.

Le Vieux apprécie, je le sens à son œil qui frise.

— Voici des papiers et des certificats, me dit-il. Ces braves gens pourront téléphoner à vos anciens employeurs : ils obtiendront des renseignements fort élogieux à votre sujet.

J'empoche et je me casse.

Avant de foncer sur Rueil-Malmaison, je

passe chez Morpion. Il n'est toujours pas rentré at-home (comme disent les Savoyards).

Ses pauvres chats affamés courent sur le rivage que c'en est une pitié. Je demande à la cerbère de les prendre en charge en attendant le retour (problématique) du vieux prof.

Je pilote ma Jag jusqu'à la gare de Rueil. Je la range sur le terre-plein et je frète un taxi-auto pour me faire driver jusqu'à une demeure située aux z'abords du château de Fifine. C'est là qu'habite son Excellence. La maison, style Ile-de-France-Tarte à la crème, s'appelle « Les six troènes » et s'élève dans un parc de deux hectares passablement en friche. Comme je carillonne à la grille, deux dogs allemands se précipitent en grondant. J'ai beau les appeler Médor, Gentils Toutous et même Minets, ils continuent de me manifester une vive antipathie.

Un bonhomme au crâne rasé et qui réussirait, je pense, une superbe carrière de tronche de gaille dans un jeu de massacre, s'avance vers moi en roulant des mécaniques de haute précision.

M'est avis qu'il est apparenté au gorille

abattu l'autre nuit au consulat, ne serait-ce que par un ami de son père.

— Vous désirez ? me demande-t-il sèchement.

Je m'humecte la bouche avant de lui répondre d'un ton détaché :

— Je viens pour la place de chauffeur.

Il m'examine silencieusement, de bas en haut, de gauche à droite et dans le sens inverse. Puis il a un léger froncement du nez et m'ouvre tout en calmant les molosses de la voix. Il leur débite des trucs en alabanien. Ça va être gai si ces toutous ne parlent pas le français.

Nous remontons une allée envahie par les mauvaises herbes, entre une double rangée d'arbres. La maison se dresse au mitan d'une immense pelouse. Bien qu'il fasse grand jour, on a l'impression de la contempler à la clarté de la lune, ça vient, je pense, de sa couleur blafarde et de son toit d'ardoises verdies.

Le portier me fait entrer dans un hall vieillot où prend un escalier de bois aux balustres imposants. Je mijote un instant, reniflant l'odeur fade qui flotte dans l'air à l'aronde (comme on dit chez Simca). Quelque part, un électrophone joue du Mozart. C'est beau, Mozart.

Un bruit de pas me fait tourner la tête. J'avise un être jeune et pâle, au nez fort et à la mise endeuillée. Il s'agit, je ne crois pas me gourer, du secrétaire que j'ai aperçu depuis chez Morpion grâce aux jumelles.

Son œil aigu plonge en moi sans aménité (aménité n'ayant pas pu venir).

— Vous êtes chauffeur professionnel ? me demande-t-il sèchement.

— Oui, monsieur. Si vous voulez bien prendre connaissance de mes certificats. Je viens de travailler six années consécutives au service du comte de La Motte Bourrée.

— Et pourquoi l'avez-vous quitté ?

— C'est lui qui nous a quittés, monsieur, réponds-je sans me marrer. Monsieur le comte est décédé la semaine passée.

Il ligote les documents fournis par le Vieux et que j'ai pris le soin de potasser avant de radiner.

— Comment avez-vous su que nous cherchions un chauffeur ?

— C'est un de mes amis qui travaille au

restaurant alabanien de la place Péreire qui m'en a informé.

— Sur l'annonce on demandait de téléphoner, non de se présenter.

— Je sais, monsieur, mais j'ai pensé qu'un contact direct était préférable, voilà pourquoi je me suis permis de venir sans me faire précéder par un coup de téléphone.

Il me regarde encore. Il y a autant de tendresse dans son œil que dans celui d'un chat attaché par la queue à une sonnette.

— Vous permettez un instant ? me dit-il en brandissant mes certificats.

Et il s'éclipse. Il a eu raison de préparer le terrain, le Boss. Cet endoffé va bel et bien bigophoner à mes « ex-employeurs ». Dans un sens c'est plutôt bon signe. Ça veut dire qu'il a envie de m'engager.

Effectivement, quand il réapparaît, un quart de plombe plus tard, il m'apporte une réponse affirmative. On discute des conditions et me voilà au service des Alabaniens. Je dois prendre mon service l'après-midi. Tout ça a été mené plutôt rondo, hein ?

-:-

Ce qu'il est beau, votre San-A., avec sa livrée de driver de haut luxe, mes louloutes ! Je ne rechigne pas devant le déguisement, vous le savez. Il m'est arrivé de me fringuer en zouave, en curé, en charcutier, en O'Cedar, en bougnat, en pompier, en octogénaire, en syphilitique, en jeune fille de bonne famille, en sucette, en conscrit, en sanscrit, en parapluie, en général, en particulier, en chat de gouttière, en ramoneur, en pingouin, en Louis XIV, en Louis XV, en Louis XVI, en Louis XVII, en Louis XVIII, en Louis XIX, en Louis XX, en point d'Alençon, en expert-comptable, en limonadier, en voiture à bras, en verre, en contre tout, en cocher, en cardinal, en chef de gare, en prince consort, en Japonais, en matière plastique, en triste sire, en rabbin, en Robin des Bois, en Dany Robin, en Robinson, en robe, en robinet, en Robbe-Grillet, en robot, en robuste et en parachutiste, mais it is the first fois que je me déguise en chauffeur. Cette tenue d'esclave me sied à ravir. Les leggings luisants, le bénard bien coupé, la veste bien sanglée, la casquette bien posée, je pourrais poser moi-même pour une revue consacrée à l'uniforme à travers les âges, depuis le costume d'Adam jusqu'à la tenue Huénère de gala avec le gilet rayé de cérémonie et le plumeau d'apparat.

Le type en noir qui me réceptionne a un battement de cils satisfait.

— Je suis M. Wadonk Hétaurdu, le premier secrétaire de son Excellence, me révèle-t-il. Pour commencer vous allez préparer l'une des voitures : la Peugeot, car vous partirez en fin de journée pour la Normandie.

Je m'incline. Le mastard du matin m'indique le garage et je vaque à mes nouvelles occupations.

Il y a trois tires dans ce hangar. Une vieille Bentley solennelle comme une réception à Buckingham Palace, une 404 grise et une Dauphine noire. Je m'occupe donc de la 404 en me demandant ce que Wadonk Hétaurdu entend par « la préparer ». Elle possède ses 4 roues, son plein d'essence et son plein d'huile. Tout ce que je peux faire pour elle, c'est lui refiler un petit coup de spontex sur le capot, histoire de lui redonner l'éclat du 9.

Je la sors donc et je m'approche de la maison car j'ai remarqué une prise d'eau sur l'arrière de la bâtisse. Je me mets à briquer la charrette avec énergie. Je sens qu'on m'observe et il faut que je mette le pacson. La crèche paraît aussi joyeuse qu'une conférence du père Dupanloup sur la vie monastique.

Un silence presque total y règne. J'ai l'impression que relativement peu de monde occupe cette demeure. Lorsque ma tire est aussi brillante que les cailloux de la couronne d'Angleterre, je la remets au garage. Les molosses en vadrouille dans le parc me hument parfois de façon inquiétante.

— C'est pas pour dire, mais je préférerais visionner un Laurel et Hardy !

Je retourne à la baraque d'un pas altier. J'aimerais bien renoucher ce qui se passe à l'intérieur ; ne suis-je point t'ici pour ça ? En m'avançant, je mate la façade triste. J'aperçois une silhouette derrière une fenêtre du premier. Il s'agit d'une femme. Elle tient le rideau écarté et elle me regarde avec attention. Plus je me rapproche, plus je m'aperçois que cette personne est très belle. Elle est blonde, jeune, avec des traits réguliers. Je m'incline pour un salut déférent et je pénètre dans la crèche par la porte des communs.

La cuisine est plus délabrée que le reste de la propriété. La peinture est écaillée, il y a un énorme ballon pour l'eau chaude scellé au plafond. La cuisinière à gaz est rouillée. Il ne se met pas dans les frais, le consul. Une jolie môme carrossée façon pin-up se tient devant la cuisinière. Elle fait chauffer un biberon au bain-marie ; je conclus immédiatement qu'il y a un bébé dans la maison.

Je n'aperçois tout d'abord la souris que de dos. Je ne suis pas pressé de la voir se retourner car son côté pile présente un intérêt indiscutable. La taille est fine, le pétrousquin a une rondeur parfaite et ses jambes donneraient des idées à la statue de marbre d'un eunuque. Et puis elle se retourne et du coup j'en perds mes moyens. Cette gosse est rousse, avec des taches d'or dans ses yeux verts et des taches brunes sur son visage délicat. Lorsque vous vous mettez à regarder ses lèvres, c'est comme si vous veniez de vous asseoir sur un câble à haute tension. Pour s'en détacher, il faut une barre à mine, un tracteur et une douzaine de chalumeaux oxhydriques.

Elle me sourit. Les dents éclatantes chantent la vie, la beauté, l'amour avec tout ce qui va autour et à l'intérieur !

— Bonjour, je gazouille, car vous le savez j'ai énormément de conversation.

— Bonjour, répond-elle du tac au tac.

— Je suis le nouveau chauffeur, me présenté-je : Antoine Siméon !

— Et moi Claire Baillet, répond la rousse enfant, je suis la nouvelle nurse.

— Quel âge a votre client ?

— Six mois ; il est mignon tout plein. Vous ne l'avez pas encore vu ?

— Je viens d'arriver.

— Moi aussi...

Elle touche le biberon pour s'assurer qu'il est à point. Il ne doit pas l'être car elle le replonge dans la casserole d'eau bouillante.

— Drôle de maison, murmure-t-elle. Elle est pratiquement vide.

— Ah oui ?

— J'ai l'impression qu'excepté l'enfant, il n'y a que deux hommes ici pour le moment.

— Sans blague ?

— Sans blague !

— Je peux vous assurer qu'une autre personne s'y trouve : je viens de l'apercevoir à une fenêtre du premier étage : une belle femme blonde à l'air triste.

— C'est peut-être la maman du bébé ?

— Peut-être.

— Vous avez vu le consul ? demanda-t-elle.

— Non, et vous ?

— Non plus.

Elle me file un très mignon sourire aussi chargé de promesses qu'un bulletin électoral et se barre avec le biberon.

Je reste seul. J'ouvre les quelques placards aux portes disjointes et je découvre des provisions en assez grosse quantité. Ça paraît manquer de personnel dans le coin. Pas une cuisinière en vue, pas une femme de chambre, pas la moindre bonniche, pas même une rombière pour passer l'aspirateur.

Il y a le costaud qui m'a ouvert, le secrétaire blême et endeuillé, le bébé, la femme blonde... Plus une nurse et un chauffeur fraîchement engagés... C'est pas pour vouloir jouer les Sherlock, mais je trouve cette histoire farfelue. Dans cette crèche délabrée et suintante d'humidité, engager nurse et chauffeur alors qu'il n'y a pas d'autre personnel me paraît relever de la plus large fantaisie.

J'attends un moment dans la cuisine. Mais je ne suis pas le genre de zigoto qui prend racine et au bout de cinq minutes, je pars en expédition dans la taule.

CHAPITRE XIV

Une salle à manger immense avec des lambris et un plaftard à la française ; un salon plus vaste encore dont les moulures de plâtre partent en brioche, et puis un bureau qui sent le bois moisi.

Voilà pour le rez-de-chaussée. Les meubles sont vieux, laids et boiteux. Il y a des housses sur certains sièges. Les persiennes de fer sont fermées et il doit être duraille de les ouvrir because la rouille. M'est avis que Son Excellence ne doit pas donner souvent des bals masqués dans sa demeure.

C'est le château de la *Choucarde au Bois pionçant,* ma parole ! L'odeur des maisons inhabitées est très particulière. Celle-ci sent plus que l'inhabité : elle sent l'abandonné ! On a envie d'inviter trois bulldozers à faire une partie de cache-cache dans la taule.

Je me retrouve dans le hall, louchant en

direction de l'escadrin. Ma valise s'y trouve encore, car Wadonk Hétaurdu ne m'a pas encore indiqué ma chambre.

Que faire ? Attendre ou poursuivre mon exploration ?

Je me hasarde dans l'escalier. Le premier étage n'a pas la triste odeur du bas. Il est plus humain : on y devine des présences. Un bébé pleurniche quelque part. Je tourne l'angle du couloir et j'avise mon pote le gorille assis sur un vieux canapé délabré. Il lit un baveux alabanien. A mon arrivée, il abaisse son journal et me foudroie d'un regard féroce.

— Que voulez-vous ?

— Du travail, réponds-je. J'ai fini de laver la 404 et j'aimerais savoir ce que je dois faire.

— Descendez, on va vous le dire.

Que fait-il dans ce couloir, le musculeux bonhomme ? On dirait qu'il surveille quelqu'un. Mais qui ? La nouvelle nurse ? Ou bien la jeune femme blonde ?

Je redescends lentement. Les pleurs de ce bébé dans la baraque vétuste me font un drôle d'effet. L'ambiance a je ne sais quoi de déprimant, d'angoissant, d'un peu funèbre...

Je préfère me baguenauder dans le parc. Il fait un temps d'Ile-de-France, doux et gris. Le ciel léger s'écoule à gros flocons mus par le vent d'ouest. Je retourne vers le pignon où se trouve la fenêtre de la femme blonde. Celle-ci a quitté son poste d'observation. Je l'entends parler avec quelqu'un. Elle s'exprime avec véhémence, en alabanien. Et puis une porte claque. Le silence revient, uni comme une eau morte, perfide, terrible !

Heureusement que la petite Claire est dans ces murs. Elle, au moins, est vivante.

Wadonk Hétaurdu surgit sur le perron. Il fait claquer ses doigts pour m'ordonner de le rejoindre.

— Vous allez partir avec la nurse et l'enfant, m'enjoint-il.

Il tire de sa poche un morceau de papier.

— Vous vous rendrez à cette adresse et vous y déposerez la nurse et le petit. Vous passerez la nuit où bon vous semblera et vous serez là demain en fin d'après-midi, disons vers dix-neuf heures.

Je chique au gars intéressé par ces courtes mais immédiates vacances.

— Monsieur, bredouillé-je, je m'excuse, mais si vous pouviez m'avancer une centaine de francs sur mon mois, cela m'arrangerait, je... heu... Vous comprenez ?

Ce sont ces petits détails qui font vrai. Si Wadonk Hétaurdu nourrissait encore quelques doutes à mon sujet, ceux-ci viennent de se volatiliser. Il sort son portefeuille et me tend un bifton.

— Merci beaucoup, monsieur, fais-je.

— Autre chose, coupe-t-il. Demain soyez en grande livrée, Son Excellence se rendra à une réception officielle.

Je me découvre.

— Parfaitement, monsieur.

— C'est bon, allez aider la nurse.

Je rentre dans le hall où Claire Baillet m'attend en coltinant un marmot dans un sac étudié pour. Je prends la valise de la jolie nurse, celle du lardon et je guide ma ravissante passagère jusqu'à l'auto. Comme je charge les bagages dans le coffre, sous le regard glacé de Wadonk, j'entends un cri perçant en provenance de la maison.

Je regarde dans cette direction, mais Hétaurdu secoue la tête en souriant.

— Laissez ! me dit-il, d'une voix rassurante, c'est la radio. On diffuse une pièce policière.

Son explication ne procède pas d'une forte imagination, mais je feins de m'en satisfaire.

Hue dada ! Nous voilà partis. Je mate le papelard du secrétaire. Je lis : « Le Clos Fleuri » à Verneuil-sur-Avre. Je prends en direction de Saint-Germain afin d'aller prendre la bretelle qui rejoint l'autoroute de l'ouest. Claire est assise à l'arrière avec le chiare. Ce dernier ne moufte pas.

— Il dort ? je demande.

— Oui.

— Ça vous ennuierait de passer devant ?

— Pourquoi ? s'étonne (ou fait semblant de s'étonner) Claire.

— J'ai horreur de passer ma vie à regarder dans un rétroviseur. Sans compter que ça n'est pas prudent. Si vous vous mettiez à mes côtés, je n'aurais pas besoin de vous examiner dans ce miroir...

Comme elle ne répond pas, j'insiste en balançant par-dessus mon épaule un regard en velours de soie naturelle.

— Pensez à votre sécurité et à celle de l'enfant qui vous est confié, Claire.

— Cessez vos familiarités ! fait-elle sèchement. J'ai horreur de ces domestiques avantageux qui jouent les conquérants.

J'en prends plein mon mouchoir, les gars. Je m'étais berluré avec cette gosse : elle est bégueule, mademoiselle Chocotte ! Elle ne fait pas de démagogie et entend ne pas mélanger les torchons avec les serviettes.

Dommage. Une serviette commak ça me bottait. J'ai toujours aimé le beau linge.

Je fonce donc vers la Normandie. C'est pas le pays qui m'a donné le jour, mais c'est un chouette bled tout de même. Le silence me pèse. Lorsque j'ai une belle pépée dans mon espace vital c'est plus fort que moi : il faut que je lui raconte l'histoire de l'homme qui avait vu l'homme qui avait vu l'os. Dix bornes plus loin je la cramponne par la bande (à charge de revanche).

— J'ai idée que nous venons d'atterrir dans une drôle de place, hein ? fais-je. Ils sont marrants, les Alabaniens, cette année.

— C'est vrai, reconnaît miss Incendie, pour ma part je ne suis pas fâchée de quitter cette maison sinistre.

Elle calme le mouflet, lequel donne des signes d'impatience. Je la regarde dans le rétroviseur, charmé par ses gestes délicats.

C'est beau, la puériculture.

— Vous n'avez jamais eu envie de travailler à votre compte ? je lui demande.

— Qu'entendez-vous par-là ?

— Je veux dire, ça ne vous tente pas de soigner un môme qui serait à vous ?

— J'y pense, admet Claire.

— Le jour où vous vous déciderez, faites-moi signe, les livraisons ça me connaît. Je suis certain qu'à nous deux on réussirait quelque chose de pas mal.

La voilà qui se renfrogne encore. Vous ne m'arracherez pas de l'esprit qu'elle a un Jules de fraîche date et qu'elle s'amuse à lui être fidèle. La fidélité c'est pas une vocation, contrairement à ce que beaucoup de gens s'imaginent mais un caprice. Vous prenez une souris qui a une lampe à souder dans le slip. Quand elle met la main sur un zig qui la réussit, elle joue les exclusivités !

Elle se croit sous contrat. Pas moyen de lui attraper le petit doigt, même avec une pince à sucre ! Et puis, un matin, elle en a classe de son archer et elle recommence à déguiser son fignedé en Centre d'accueil. Mais dans l'intervalle, elle s'est joué la comédie. Elle a cru en sa mission. Elle a baladé ses charmes comme des reliques. Défense de toucher, c'est tout pour Ernest ! Bande de crétines, va ! C'est dans le crâne que ça se tient. Elles aiment le cinoche et s'en fabriquent du sur mesure ! Un tordu s'amène et les voilà qui nient l'eau courante !

— Vous êtes fiancée ? que je lui demande.

— Non, qu'elle me répond.

— Vous n'allez pas me raconter que votre vie ressemble au désert de Gobbi ?

— J'ai *UNE* amie, dit-elle.

J'en ai la glotte qui part à dame ! Elle a bien dit « UNE » amie, hein, les gars ? Vous avez entendu comme moi ? Il y a erreur d'aiguillage. Voilà que je tombe sur une adepte du gigot à l'ail ! Mademoiselle cachette les enveloppes ! C'est pas demain qu'elle l'aura, son mouflet personnel, du train où vont les choses (si je puis ainsi m'exprimer). Le travail à la menteuse, c'est de l'ouvrage de dame ! Un gamin de soixante-quinze ans en ferait pipi dans ses chaussettes ! Voir une belle souris comme Claire, en relief et couleur, avec parfum de chez Rochas et balcon donnant sur la mer et se dire qu'elle est perdue pour l'humanité souffrante, ça vous cloque des adhérences au cervelet. On a envie de décrocher son bâton de pèlerin et de partir à pince pour Lourdes histoire de faire brûler un cierge à sa santé ! Hélas, les bâtons de pèlerin, on n'en trouve plus guère que dans les gogues de campagne.

— Vous me décevez, ne puis-je m'empêcher de murmurer.

Ça ne l'émeut pas.

— Vraiment ?

— Une petite déesse comme vous, se laisser mettre à l'index, c'est navrant. Vous n'avez jamais essayé un bonhomme ?

— Si, mais je n'ai pas trouvé l'expérience concluante.

— Parce que vous êtes tombée sur un raton laveur. Enfin, chacun ses goûts.

-:-

« Le Clos Fleuri » est une aimable pension normande située dans un grand parc au bord de l'Arve. L'établissement est tenu par deux vieilles filles proprettes qui se mettent à pousser des cris d'admiration en voyant débarquer le bébé. Elles lui font guili-guili sous le menton et lui inventent des noms exotiques en exhalant des râles d'allégresse.

Je suis surpris parce que cette maison de très bon aloi ne correspond pas à ce que j'imaginais. Je m'attendais à débarquer dans un endroit suspect, mais au contraire, ici tout est propre, tout est sain et paisible. C'est la douce province dans toute sa tiédeur.

Tandis que Claire s'installe avec son pensionnaire, j'interviewe l'une des demoiselles.

— Vous connaissez Son Excellence ? je lui demande.

— Non. C'est son secrétaire qui est venu louer. Surtout dites bien à M. le consul combien nous sommes fières, ma sœur Hortense et moi, de ce choix. En honorant notre modeste maison, il...

Etc, etc.

— Vous ne connaissez pas l'hymne alabanien ? fais-je.

— Du tout !

— Eh bien ! il faudra l'apprendre. Son Excellence veut que vous le chantiez tous les matins à son fils lorsqu'il se réveille.

C'est une vieille demoiselle très alarmée que je quitte pour reprendre la route de Paris.

CHAPITRE XV

Je passe par Saint-Cloud afin de me déloquer. M'man ouvre de grands yeux en me voyant radiner dans cette tenue de chauffeur.

— Antoine, mon grand, soupire-t-elle, tu es obligé d'en faire, des choses !

Je l'embrasse.

— C'est rigolo comme tout, M'man.

Je la regarde tendrement. Elle a un peu vieilli ces derniers temps, Félicie. Les rides se sont un peu creusées autour des yeux, de même que ses tempes. Ses cheveux sont plus gris. Son regard est un peu triste. J'ai le cœur qui me remonte dans le gosier. Je me dis qu'elle vieillit dans les affres. Elle passe sa vie à trembler pour son sacré rejeton. Un jour elle disparaîtra et je charrierai un éternel remords, celui de l'avoir privée de ma présence.

— Je t'aime drôlement fort, tu sais, M'man.

Elle a un petit sourire heureux. En guise de réponse elle me caresse la joue du bout des doigts.

— Ecoute, M'man, je sais bien que je te le promets souvent et que je ne tiens pas beaucoup mes promesses, mais c'est décidé. Dès que j'ai achevé mon enquête en cours, on fiche le camp quinze jours à la campagne tous les deux.

Elle n'en croit pas une broque, mais elle fait semblant.

— Mais oui, Antoine.

— Je suis à la bourre de vacances. Si je prenais tous les congés qui me sont dus, j'aurais droit à la retraite anticipée ! On ira dans un coin, pas loin. La distance ne fait rien à la chose. Du côté de Fécamp, tu veux ? On cherchera une auberge sans téléphone et on bouffera de la langouste à tous les repas. Tu peux déjà préparer nos valises, c'est du peu au jus.

-:-

Je me refringue en civil et je mate the clock. Il est presque neuf heures.

— Tu ne dînes pas à la maison ? s'inquiète la chère femme.

— Si, mais plus tard. Tiens-moi un petit quelque chose tout prêt, je le croquerai en rentrant.

— Je vais regarder la télé, chuchote-t-elle.

Ce qui veut dire, dans le langage de Félicie, qu'elle va m'attendre, m'espérer jusqu'à la fin des programmes et au-delà. Elle aime tant me voir manger ses petits plats mijotés. Elle me verse à boire, me tend le sel ou la moutarde à l'instant précis où j'en ai besoin...

— T'es pas malade, M'man ?

— Mais non, quelle idée, j'ai mauvaise mine ?

— Tu parais lasse.

— Parce que je n'ai pas eu ma femme de ménage aujourd'hui. Figure-toi que sa fille vient d'accoucher, la pauvre avait pris de la thalidomide, et...

Félicie se signe. D'où je conclus que la pauvre Mme Saugrenut, qui décidément les collectionne toutes, est maintenant grand-mère d'une otarie.

-:-

Un calme plat (c'est la seule chose qui soit plate dans leur appartement) règne chez les Bérurier. La bonne vient délourder et m'informe qu'en effet, Monsieur est là.

Les décombres ont été balayés. On a mis du grillage au plafond pour que le voisin du dessus qui risquerait de ne pas s'entendre tomber reste chez lui, et recollé ce qui était recollable.

Berthe, affalée sur un canapé, regarde la télé. A ses côtés il y a leur ami le coiffeur. Béru est assis sur une chaise, derrière eux, comme dans l'autobus. On entend le bruit menu et flasque de la jarretelle de la Grosse sur laquelle le coiffeur fait des gammes. A la télé, M. Pierre Sabbagh en personne dans l'homme du XXe siècle. Il pose une question drôlement épineuse, M. Sabbagh : « Quelle était la couleur du cheval d'Henri IV ? » Y a un suspense si épuisant qu'aucune des trois personnes ne daignent me saluer. Je m'assieds aux côtés du gros. La bonne se met sur mes genoux parce que je viens de mobiliser son siège. La minute est angoissante. C'est le match de l'année : M. Balandard contre les gars de Bellenaves (Allier). Le représentant de Bellenaves dit que le cheval d'Henri IV (le roi du Bouillon Kub) était gris pommelé. M. Balandard, lui, affirme qu'il était noir. Zéro point partout ! Et le jeu se poursuit.

Sa Majesté se décide à me tendre deux doigts négligents.

— Quel bon vent ? me demande-t-il, très Régence.

Je presse les deux francforts.

— On peut bavarder un instant ?

— A la fin de l'émission, tranche-t-il. D'ailleurs ça va z'être la dernière question.

— Une question de littérature ! nous précise M. Sabbagh. (C'est maintenant le jeudi le jour du Sabbagh).

Il prend une fiche dans un casier et son visage s'éclaire comme le hall d'un cinéma.

— Qui a écrit « Du Mouron à se faire », demande-t-il, en prenant son petit air narquois qui bouleverse quatre millions cinq cent vingt-six mille téléspectatrices.

M. Balandard répond Shakespeare ; le

représentant de Bellenaves dit que c'est San-Antonio, et naturellement il triomphe.

— Je me rappelais plus que c'était de toi, convient Bérurier.

— Parce que ta formation classique laisse à désirer !

La victoire des Beauxnavets est totale. M. Balandard est mystifié. Il gagne tout de même un petit quelque chose, et le droit de serrer la louche à Me Lesage. Y en a qui se sont fait tuer pour moins que ça ! Je m'apprête à saluer la baleine, mais je ne la vois plus. Elle vient de s'abattre sur le canapé. Le coiffeur lui fait le coup du bigoudi investigateur et la Gravosse roucoule comme un torrent.

— Y a des intermèdes chez toi ! chuchoté-je au Gros en lui désignant son cétacé.

Il murmure à mon oreille.

— Je peux rien dire : nous sommes z'en froid. Puis, me montrant son copain le merlan, il ajoute : « Figure-toi que ce tordu vient de divorcer. Nous allons nous le taper tous les soirs à partir de dorénavant. »

Ce pluriel est quelque peu singulier. J'entraîne pudiquement le Gros jusqu'au troquet d'en bas.

-:-

Une fois accoudé au bastingage ça va mieux. L'Hénorme retrouve sa sérénité.

— Tu vois, fait-il, depuis notre algarade d'hier, je bourdonne. Ça me fait de la peine de ne plus avoir mon tigre. Enfin je vais le faire naturaliser ; quant à mon Sahara-Bernard il est en clinique ; tu le verrais, plâtré comme il est, tu croirais que c'est une statue.

— On va le mettre au côté de Pinaud sur un piédestal, rigolé-je.

— A propos de Pinaud, je suis été le voir en fin de journée.

— Comment va-t-il ?

— Toujours ses démangeaisons. Le flic qui le garde passe son temps à le gratter.

— Maintenant, au rapport ! fais-je.

Bérurier vide son verre de beaujolpif.

— Bouscule pas le marin, proteste-t-il.

Il torche ses lèvres d'un puissant revers de manche et fait signe au taulier de pratiquer une nouvelle transfusion.

— Bon, causons. Côté observation, y a rien à dire vu que le consulat a t'été fermaga toute la journée et que personne n'y est venu. Je m'ai fait mal à la tétine de l'œil à force de zieuter depuis chez ton vieux prof avec des jumelles.

— Pas de nouvelles de Morpion ?

— Pas la moindre plus légère. Sa pipelette ne l'a pas vu non plus.

— Bref, tu n'as absolument rien à m'apprendre ?

Le Gros se compose une attitude énigmatique. Il plisse un œil, ouvre tout grand l'autre et se pince le bout du pif entre le pouce et l'index.

— Qui sait...

— Pose pas de charades, Gros, c'est pas dans ton style, tranché-je. Si tu as quelque chose à bonnir, déballe-le sans jouer les Harry Baur.

Ça le vexe.

— Le jour où que tu cesserais de me traiter comme un slip, fait-il, je pavoiserais. Le nouveau que j'ai à te causer, c'est grâce à mes dons que je l'ai découvert.

Il boit son deuxième verre. Je me retiens de le houspiller. C'est par le silence qu'on a raison de lui. Je chope un journal qui traînait sur le comptoir et je lis le compte rendu du match Monaco-Nice. Le Mastar me l'arrache des mains avec violence.

— Faut pas cherrer, San-A. Je ne suis pas en service. T'es là, tu viens me chercher à mon domicile en pleine télé. Je laisse ma digne épouse se faire calcer par le coiffeur pour te suivre et tout ce que tu trouves c'est de me lire l'*Equipe* au nez ! Ça ne se fait pas.

Des larmes d'humiliation noient son regard couleur d'abattoir.

Je lui donne une bourrade.

— Allons, Béru, fais pas ta princesse meurtrie. Raconte...

C'est la bonne pâte à beignet, Bérurier. Toujours partant pour les bons sentiments. Il renifle puissamment et déclare :

— Comme rien ne se passait et que je me faisais tartir chez ton père Morpion, je m'ai mis à investiguer chez lui.

— Et les résultats de tes recherches, cher homme ?

— Voici-voilà, voilà-voici ! annonce-t-il en explorant ses poches.

Il tire une vieille blague à tabac qui sent le port de pêche sous la pluie. Il l'ouvre. La blague contient une photographie pornographique représentant une dame et un monsieur en train de jouer au photographe (c'est la dame qui fait l'appareil), un cure-dents ébréché, une noisette, une pièce de 50 anciens francs, une nouvelle pièce de 50 centimes, une croûte de gruyère et un bouton de braguette. Il continue de gratouiller dans le tabac, et triomphalement, déniche un morceau de ferraille qu'il me tend.

J'identifie une balle écrasée.

— Qué zacco ? lui demandé-je en italien.

— Tu le vois, gars : une prune de 11,37. Elle se trouvait piquée dans le plafond. J'ai cherché à reconstituer la trajectoire et j'y suis z'arrivé. Cette balle a été tirée depuis le consulat. Au passage elle a arraché un morceau du cadre de la fenêtre. Cette fenêtre devait z'être ouverte, vu que les vitres n'ont pas t'été brisées. Peut-être que la valda a traversé ton prof de parent pauvre (1) avant de se planter dans le plafond. Mais entre

(1) Nous nous trouvons sans aucun doute devant un nouveau lapsus bérurien. Le Gros voulait dire de part en part.

nous je ne le pense pas car, selon ma destination personnelle, elle eusse t'été déviée.

Je fais sauter le projectile dans le creux de ma paume.

— Question de vie ou de mort, t'a dit Morpion au téléphone ?

— Yes, Monsieur.

— Je commence à comprendre. Il se tenait à sa croisée et surveillait le consulat à la jumelle. Ceux d'en face l'auront repéré et ont voulu se le farcir. Le tireur l'a raté et Morpion n'a eu rien de plus pressé que de me prévenir...

— Moi, affirme le Gravos, c'eût été à Police-Secours que j'eusse téléphoné.

— Morpion est un homme qui n'a pas les réactions de tout le monde. Donc, il m'a appelé. Pendant qu'il téléphonait, ceux d'en face sont venus s'assurer qu'il était bien mort.

— Et ils l'ont trouvé vivant !

— Oui. Alors ils ont changé leur revolver d'épaule et ont préféré embarquer le vioque.

Morpion a voulu me prévenir à sa façon. Ne pouvant me laisser un message, subrepticement, il a décroché le balancier de sa pendule.

— Pourquoi ?

— La pendule est à l'origine de tout. C'est parce qu'elle marchait à son retour de l'hôpital qu'il a compris que quelqu'un était venu chez lui. En l'arrêtant ainsi, il pensait me faire comprendre que rien n'allait plus...

Je gamberge un instant. L'explication me paraît valable. Jusqu'ici je n'avais pas très bien saisi le coup du balancier, mais maintenant je suis certain d'être sur la bonne voie.

— Pourquoi t'est-ce qu'ils l'ont emmené ? demande le Gros.

— Il est plus facile de trimbaler un type qui se tient à la verticale.

— Ils n'avaient qu'à le laisser sur place.

— Probablement qu'ils en ont jugé autrement. D'ailleurs, je crois piger.

— Mets-moi dans le coup, ronchonne l'Obèse.

— Eh bien ! comme Morpion téléphonait à leur arrivée, ils se sont gaffés qu'il venait de prévenir la police. Cela allait faire du vilain pour eux, car vivant, il témoignait et mort, son cadavre confirmait ses dires. L'unique solution, c'était de le faire disparaître en vitesse.

Je médite un peu. Morpion a-t-il été abattu dans un coin discret ? C'est probable, et même certain, car ces bons messieurs ne plaisantent pas. La facilité avec laquelle ils butent leur prochain me rend perplexe. Tout me porte à croire qu'en ce moment un coup bizarre et de grande envergure se prépare. Ça urge et ces messieurs n'ont pas le temps de finasser, voilà pourquoi ils abattent les obstacles à coups de pétard. Ils prennent tous les risques avec leurs os pour gagner quelques centièmes de seconde dans la descente.

— Marrant tout de même, cet aller et retour, conclut sa Rondeur.

— Quel aller et retour ?

— Par les fenêtres ! Un coup on tire de chez Morpion dans le consulat, un autre coup du consulat chez Morpion. C'est du pingeponge.

— C'en est, Gros. Ce qu'à la Cour de Sa Majesté Elisabeth II on appellerait une trou-de-balle-party.

Je mate l'heure : dix plombes et du rabe !

— Tu aimes pêcher à la lanterne, Gros ?

— Les écrevisses ?

— Et les requins ! Je t'invite.

— Quand ?

— Tout de suite !

Il essuie un pleur.

— Je ne peux pas : j'ai plus mon matériel : hier si je te disais que la Berthe a découpé mes cuissardes avec des ciseaux.

— Pour le genre de pêche que je te propose il est préférable de mettre des espadrilles.

— Où est-ce qu'on va ?

— A Rueil-Malmaison.

— En Seine ?

— Non, mon chéri : dans les eaux territoriales alabaniennes.

Il secoue sa grosse tête de veau au risque de faire choir le persil qui en décore les narines.

— Pas question : une fois suffit ! L'expédition de l'autre nuit, je m'en rappelle encore, San-A., figure-toi.

— Parfait, lui dis-je. Alors j'irai donc seul.

Je lance un billet au marchand de boissons fermentées et je prends la tangente avec dignité.

— Attends, proteste l'Enflure. T'emballe pas, ce que je te disais c'était...

Mais j'ai déjà claqué la porte de l'estaminet et je marche à ma voiture.

Comme j'actionne le démarreur, l'autre portière s'ouvre à la volée et une masse importante s'abat sur le siège passager.

— T'as bien dit qu'on pouvait y aller en escadrilles ? demande le Gravos. Parce que moi, comme tu peux le voir, j'sus t'en savates.

CHAPITRE XVI

— Quelle idée de carillonner à un chenil à pareille heure, s'étonne le Magnifique. Tu veux t'acheter un Médor ?

— T'occupe pas, Einstein.

Nous sommes à Nanterre, au chenil de l'Impératrice, lequel est tenu par un ancien inspecteur à moi qui a toujours eu un faible pour les toutous. Un concert d'aboiements m'accueille. La porte s'entrouvre et l'ex-inspecteur Carlin paraît, dans un costume de chasse à boutons décorés. Les bas-reliefs de ces boutons représentent tous une tête de chien.

Carlin plisse ses yeux d'épagneul (d'ailleurs il est Breton) et s'écrie.

— Mais je rêve !

— Que nenni, lui réponds-je en vieux français.

Effusions, dialogue d'usage duquel il ressort qu'il va-bien-pas-mal-et-vous ? Merci. J'espère-que-vous-de-même. Et il me fait entrer dans une cuisine où un chiot rachitique agonise dans une corbeille à ouvrage désaffectée.

— Qu'est-ce qui me vaut le plaisir, monsieur le commissaire. Chercheriez-vous un chien, par hasard ?

— Non, mon cher Carlin : une chienne.

— De quelle race ? Je fais le bouvier, le boxer et le dogue de Bordeaux.

— Celui qui ressemble à son frère comme deux gouttes d'eau ?

Il se marre bien que ça ne mérite pas un verre de limonade.

— Toujours aussi drôle, monsieur le commissaire.

— De plus en plus, veux-tu dire. Ecoute, Carlin, peu me chaut la race, ce qui importe c'est que la chienne en question soit en chasse.

Il écarquille tout grands ses vasistas à cloison étanche.

— Comment cela ?

— C'est pourtant clair : il me faut une

chienne en chasse, tu dois avoir ça dans ta collection de printemps, non ?

— Oui, mais...

— Alors aboule, je suis preneur ; et je te préviens : je veux une pétroleuse format Berthe Bérurier !

— J'ai votre affaire : une boxer bringée de quatre ans !

— Amène-la.

— Sérieusement, vous l'achetez ?

— Je te l'achète. Envoie la note à la Grande Cabane, ce sont des frais professionnels.

Il a perdu l'habitude de mes fantaisies et je le sens à deux doigts de l'attaque d'apoplexie.

-:-

— Tu m'avais dit qu'on allait à la pêche, souligne le Gros. On dirait plutôt qu'on va à la chasse. Comment qu'il s'appelle, ce beau toutou ?

— Il s'appelle Julie, fais-je.

— Drôle de blaze pour un cador.

— C'est une chienne.

— Avec ces oreilles en pointe on ne s'en douterait pas.

— Je crois que si tu veux t'assurer du sexe d'un animal tu as intérêt à ne pas lui regarder les oreilles.

Je fonce jusqu'à la Malmaison. Il n'est pas loin de minuit lorsque je débarque, à quelques encablures de la propriété.

— Tiens Mademoiselle en laisse, enjoins-je au suifeux. La partie devient very délicate.

En effet, à peine sommes-t-on à la grille que les deux dogs féroces se ruent sur icelle. Au moyen de mon célèbre sésame je délourde. Le jeu consiste à faire pénétrer Mademoiselle Julie dans la place (en anglais in the place) avant que l'alarme soit donnée à l'intérieur. Le Mahousse auquel j'ai fait part de mon plan d'action murmure en montrant les deux fauves :

— Si jamais ils sont de la pédale, on est bonnards, San-A.

— Attention ! dis-je. Je vais entrouvrir, prépare-toi à leur catapulter Miss Julie avant qu'ils nous sautent sur les claouis.

Ce qui est dit est fait. Monseigneur Bérurier tient la jeune personne debout contre lui. J'écarte la grille et le Gros pousse la chienne dans la propriété.

— Ces dames au salon ! clame-t-il, égrillard.

Les molosses ne se le font pas dire deux fois. Faut voir la réception qu'ils offrent à Julie ! Le renifleur se met en marche vilain. La pauvre mignonne ne sait comment se tenir avec ces messieurs. Elle tourne en rond, donne des petits coups de dents par-ci, des coups de pattes par-là, mais on sent bien que le cœur n'y est pas. Elle n'est contre que par pudeur. Béru qui l'observe me pousse du coude.

— Les chiennes, fait-il, sont aussi p... que les femmes. Vise-moi cette petite salingue, elle en meurt d'envie, mais faut qu'elle leur joue vierge et martyre avant de leur donner leur ticket d'appel.

Nous attendons un bout de moment. Puis les trois chiens s'éloignent dans l'ombre du parc. C'est à nous de faire maintenant.

Nous marchons courbés en deux sur la pelouse afin de feutrer le bruit de nos pas. J'avais raison en estimant que la maison faisait clair de lune même le jour.

Dans la lumière blafarde de l'astre nocturne (1) l'habitation du consul n'est guère plus sinistre que dans celle du soleil.

Une lumière brille derrière une seule fenêtre. Il s'agit de la croisée derrière laquelle se tenait tantôt la dame blonde.

J'ai idée qu'elle doit avoir des insomnies, cette personne.

Je fais signe au Mahousse de m'attendre et j'accomplis un tour complet de la demeure. Tout est banco.

— Amène-toi, glorieux policier.

Il me suit. J'ai repéré une petite porte basse qui doit servir à rentrer le charbon. Elle est fermée à clé, mais vous savez comment je me comporte avec les serrures !

Nous descendons une demi-douzaine de marches. La gigantesque chaudière du chauffage central met une vague clarté rougeâtre dans le sous-sol. C'est insuffisant pour qu'on se repère. J'actionne ma petite lampe de poche. Ce genre d'endroit n'est jamais très folichon, mais celui-ci est carrément lugubre.

(1) Faut bien citer les grands poètes de temps à autre, ça repose. Justement je subis la crampe de l'écrivain et je souffre des chevilles !

Je furète comme un chien de chasse.

— Tu cherches quoi z'au juste ? me demande Béru.

— Le sais-je !

Il hausse les épaules.

— C'est de la pêche à l'Ombre, fait-il fort astucieusement.

Il s'arrête et pousse un petit cri de douleur.

— Qu'est-ce qui t'arrive ?

— Je m'ai planté une saloperie dans le pied, biscotte j'ai perdu une de mes savates dans le parc.

Je braque obligeamment le faisceau de la lampe sur ses radis. Ses chaussettes sont noires. Il en ôte une, et je m'aperçois qu'elle était pleine de trous ; seulement ça ne se voyait pas lorsqu'il l'avait au pied. Un petit truc brillant est planté dans son talon d'Achille. Il l'arrache.

— Une punaise ? diagnostiqué-je.

— Pas tout à fait, répond Bérurier en me montrant un bouton de col.

Je pousse une exclamation tellement sourde qu'elle devrait passer un examen auditif.

— C'est le bouton de col de Morpion !

— Tu es sûr ?

— Il n'y a plus que lui qui porte des cols de celluloïd. Vois-tu, Béru, quand je t'ai répondu que j'ignorais ce que je cherchais, je mentais. C'est le pauvre Morpion que je cherche. Je me doutais bien que ces crapules l'avaient amené ici !

— Pour lui faire le coup du père François ?

— Naturellement.

— Alors son cadavre ne doit pas être loin !

Nous nous mettons à chercher avec frénésie. A chaque instant je dois solliciter le silence car le Gros est aussi léger qu'une pelleteuse de travaux publics.

Nous sondons le charbon, nous fouillons dans le tas de choses démantelées qui occupe une partie du sous-sol, nous secouons les tonneaux : en vin (pardon, c'est à cause des tonneaux, je voulais dire : en vain).

— Conclusion : pas de chance, fait ma brave Guenille, ruisselant d'une belle sueur prolétarienne. S'ils ont tué ton Prof ils l'ont enterré depuis dans le jardin ; ou alors...

Et il me désigne la chaudière.

J'opine. J'adore. Il n'y a pas un type qui aime autant opiner que moi.

— On fait quoi maintenant ? s'inquiète Alexandre-Benoît.

Au lieu de répondre, je passe dans un petit appentis sorcier situé à la suite de la cave. C'est une buanderie. Il y a un bassin en pierre, une pompe, des fils d'étendage tout rouillés.

Je regarde dans le bassin. On y a mis de la farine, ou bien... Je touche : c'est de la chaux ! De la chaux de Pise, même : la meilleure !

Armé d'un bâton je la touille et je rencontre un volume compact. Alors, frénétique, j'écarte la chaux au moyen d'une pelle que j'avais prévue dans la construction de mon roman. Je finis par mettre à jour un cadavre déjà rongé jusqu'au trognon par la chaux vive.

— Eh ben, tu vois, murmure l'objectif Béru : tu l'as retrouvé, ton prof !

CHAPITRE XVII

Avec une pièce à conviction pareille, le consul d'Alabanie risque d'avoir des ennuis.

— On appelle des renforts ? demande le Gros. Moi, je te préviens que je ne suis pas chargé. Les mains dans les pockets je suis venu.

Il me faut un petit bout de temps pour reprendre mes esprits. Vouloir tenter une action à nous deux serait pure folie et risquerait de tout fiche en l'air. Et puis, parvenu à ce point de l'affaire j'ai le devoir d'en référer au Vieux.

— Filons d'ici ! tranché-je, à la satisfaction évidente de mon camarade d'équipée.

Je remets la chaux par-dessus le cadavre et on se taille par où on est venu. Notre visite n'a réveillé personne. Tout est calme. La lumière s'est éteinte chez la dame blonde.

— Et la chienne ? demande Béru lorsque nous atteignons le portail.

— On la récupérera plus tard, laissons-la faire un coucher.

-:-

Le lendemain, qui tombe justement le surlendemain de la veille, il y a conférence au sommet chez le Tondu. Y participent, par ordre d'importance : lui et moi.

Je lui ai fait une relation succincte des faits dans leur ordre chronologique et dans le sens des aiguilles d'une montre.

Il a tout écouté, tout assimilé, tout envisagé.

— Décidément, conclut-il, nous nous trouvons devant une véritable association de malfaiteurs. Je ne m'explique pas comment un membre du Corps Diplomatique a pu devenir le chef d'une pareille entreprise !

— Les faits sont là, coupé-je. Les meurtres succèdent aux meurtres...

Il me coupe.

— J'ai eu la visite du légiste. La jeune Yapaksa Danlhavvi est morte de mort naturelle. On n'a pas trouvé le moindre poison. Elle était atteinte d'une lésion cardiaque et le cœur a lâché tout seul.

— C'est assez incroyable, soupiré-je.

— Vous connaissez notre médecin légiste : il ne se prononce jamais à la légère, s'il affirme que cette fille est morte naturellement, nous pouvons le croire.

— Avouez tout de même, Patron, que c'est un hasard bien surprenant. Enfin voilà une fille qui décède quelques heures après qu'on ait tenté de l'assassiner et vous voudriez que je n'aie pas d'arrière-pensées ?

— C'est peut-être l'émotion violente causée par cette tentative de meurtre qui l'a tuée ?

— Si cette explication vous paraît valable, c'est qu'elle l'est, dis-je avec une innocence tellement fausse qu'un aveugle-sourd-muet la détecterait.

— Revenons à nos moutons, bêle le déplumé. Voyez-vous, San-Antonio, je pense qu'il ne faut rien faire de définitif dans l'immédiat. Vous avez sans doute raison lorsque vous estimez que ces gredins préparent une opération d'envergure. Une action trop rapide pourrait s'avérer négative. Tissons les mailles du filet et...

En plein délire ! Le voilà qui réinvente les mailles, notre Bernard Palissy. Son filet, s'il a trop envie de tisser, risque fort de capturer des courants d'air, et encore à condition qu'ils ne soient pas trop gros.

— Je vais faire surveiller discrètement le consulat et la propriété du consul. Quant à vous, restez à votre poste et ouvrez l'œil. Vous devez emmener Son Excellence à une réception m'avez-vous dit ?

— Il paraîtrait. Une réception officielle, m'a dit le secrétaire.

— Je vais me renseigner à ce propos, tranche le Vioque, il est important de contrôler tous les déplacements du consul. Maintenant, nous devons tout prévoir...

Je lève le doigt, comme un écolier qui demande la permission d'y aller.

— Oui ? fait le Dabe.

— A mon avis, Patron, on obtiendrait de meilleurs résultats en embarquant le secrétaire, son garde du corps, la femme blonde et peut-être aussi le consul. Il est facile de les confondre maintenant que nous avons le cadavre de Morpion à leur brandir sous le nez !

Monsieur Chauve-qui-peut donne un petit coup de poing sur la table.

— Faisons ce que j'ai décidé. Encore une fois, une enquête dans les milieux diplomatiques demande plus de... diplomatie qu'une autre.

— Parce que vous prenez des gants avec des diplomates qui zigouillent un honnête professeur et qui font diluer chez eux son cadavre dans la chaux ?

Il se dresse.

— Excusez-moi, San-Antonio, j'ai un rendez-vous.

J'en prendrais bien un pour ses fesses avec mon 42 fillette, mais je suis sûr que ça ne serait pas apprécié dans la maison.

Dans ces cas-là il est préférable de s'aérer les soufflets et d'aller s'humecter le tout à l'égout.

J'y vais.

-:-

La journée s'écoule dans le calme. Je vais gratter : la jambe droite, le cou, la joue gauche, la fesse gauche, l'oreille droite, le nez, l'anus, la nuque et les paupières de Pinaud. Le cher Lamentable prend son mal en patience. Il est bien soigné et joue les vedettes.

Avec quelques ménagements je lui apprends la mort de son ancienne secrétaire, mais Pinuche sait accueillir les mauvaises nouvelles quand elles ne le concernent pas étroitement.

— Pauvre Yapaksa, fait-il pour toute oraison funèbre, elle était gentille et ne faisait presque pas de fautes de frappe.

— Se plaignait-elle du cœur lorsqu'elle était à ton service ?

Il réfléchit.

— Je ne crois pas. Quoique... Si, attends, je me souviens qu'un soir, en sortant du bureau, elle a vu un accident et elle a failli s'évanouir. J'ai été obligé de la conduire chez un pharmacien où on lui a administré...

— Les derniers sacrements ?

— Non ! un vulnéraire. Note bien que beaucoup de femmes tournent de l'œil en voyant les accidents...

Je quitte le cher blessé en lui promettant de revenir très bientôt pour un grattage général.

-:-

Avant de me rendre à « mon travail », j'ai, avec le célèbre Bérurier, une conversation édifiante.

— Ecoute, Gros, ce soir je joue ma carrière à pile ou face, lui dis-je. Si je gagne le coquetier, c'est O. K., sinon demain je cherche une place de veilleur de nuit au Spitzberg où la nuit dure six mois. Je compte sur ton amitié, sur ton audace dantonesque, sur tes qualités intrinsèques (et néanmoins humides) de flic, sur ton esprit et sur ton syndicat d'initiative, sur ta force, sur...

Il balaie son odeur d'ail d'un geste énergique.

— Caresse de chien donne des puces ! coupe l'Ogre. Accouche en direct.

— Ce soir je dois emmener le consul à une réception.

— Alors ?

— En son absence tu vas t'introduire officieusement dans la propriété de Rueil-Malmaison.

— Encore ?

— Mais cette fois tu la fouilleras de fond

en comble et tu arrêteras le gorille qui s'y trouve ainsi que le secrétaire.

— T'as dit que je devais m'introduire officieusement ?

— C'est-à-dire sans mandat d'amener et sans faire état de ta qualité de poulaga, tu piges ?

— Et tu veux qu'à moi tout seul j'alpague les habitants ?

— Tu es inspecteur-chef. Prends du monde avec toi. Sonne. Arrête le zig qui t'ouvrira ; poursuis ta route jusqu'à la maison, mets la main sur tout le monde...

— Et ensuite ?

— Au lieu d'embarquer tes prises à la maison bourremen, conduis-les chez moi, à Saint-Cloud, et tiens-les à l'œil jusqu'à mon retour. Fais gaffe car tu le sais maintenant : ce sont des princes de la détente.

— Princes ou pas princes, c'est pas eux qui repasseront Bérurier.

— Alors fais ce que je te dis, gars !

— Et s'il y a du pet ? s'inquiète le Mammouth, je prendrai sur mes doigts ?

— Non, puisque je te couvre.

Il opine.

— Il en sera fait comme suivant vos désirs, Monseigneur !

Satisfait, je bombe sur la banlieue ouest.

-:-

Les deux molosses me font le gros circus lorsque je carillonne. J'ai beau regarder, je ne vois plus Mlle Julie ; probable que le gorille l'a jetée à la rue comme une fille perdue qu'elle est. Ça m'étonnerait que ses rejetons soient d'authentiques boxers ; il va y avoir des pétarades dans leur pedigree, moi je vous le dis.

Le costaud patibulaire vient délourder en calmant ses dogues. Je le gratifie d'un salut militaire.

Il hoche la tête sèchement ; aussi liant qu'un ours polaire, ce zigoto.

— Préparez la voiture de maître, m'ordonne-t-il, elle est poussiéreuse...

J'obtempère. Ce carrosse noir est folichon comme un enterrement. Quand on est au volant d'un tel véhicule, on a l'impression de marner pour la R. A. T. P. Je le sors dans le parc et j'entreprends de le fourbir avec la peau d'un chamois défunt.

Les chromes se mettent à briller. C'est vraiment de la tire grand standinge. Je ne voudrais pas partir en vacances avec, mais faut reconnaître qu'elle fait son effet. Lorsque j'ai fini, je m'assieds sur le marche-pied pour griller une cigarette. La nuit descend sur le parc. On entend des petits oiseaux dans les arbres. Les étoiles se précisent dans un ciel velouté. Comme l'univers est tranquille lorsque les hommes lui foutent la paix ! Je songe à la carcasse de mon pauvre Morpion. Cet homme paisible a eu une fin trop dramatique décidément. Je le voyais claquer parmi ses chats et ses bouquins, d'une maladie bien longue et bien confortable. Et puis le sort ironique en a décidé autrement.

— Vous êtes prêt ?

C'est le gorille. Il bigle ma cigarette d'un œil hostile.

— J'attends, fais-je en balançant le mégot dans la rosée.

Je me juche sur mon siège et je vais me ranger devant le perron. J'ai le cœur qui pilpate. Enfin je vais donc le connaître ce satané consul ! Je descends de la guinde afin d'ouvrir la portière arrière, casquette en main, figé dans un garde-à-vous qui filerait la colique verte à un soldat de plomb. Deux silhouettes apparaissent sur le perron. L'une est mon petit camarade Wadonk Hétaurdu, impec dans un uniforme vert olida à brandebourgs et épaulettes d'or ; l'autre c'est la femme blonde que j'ai aperçue à la fenêtre.

Cette dernière retient toute mon attention. Elle porte une robe de soirée blanche, ornée d'une rose en or massif. Elle est belle et triste. Sous son maquillage on voit qu'elle a les traits tirés et les yeux violemment cernés. Sa chevelure blonde est légèrement cendrée. C'est une personne d'une trentaine d'années, un peu large des hanches et des chevilles pour mon goût personnel (et difficile) mais pleine d'un charme émouvant. Elle monte à l'arrière de la bagnole. Au passage elle me lance un regard intense et plus profond qu'un puits de mine. Hétaurdu monte à sa suite. Je marque un léger temps d'incertitude.

— Son Excellence ne vient pas ? je questionne.

— Non, répond-il sèchement.

Je claque la portière. Les lourdes de ces

brouettes s'ajustent comme des portes de coffre-fort. Elles sont d'ailleurs un peu plus épaisses. Je m'installe au volant et j'attends les instructions. Hétaurdu fait coulisser la vitre séparant les passagers du chauffeur.

— L'Elysée ! ordonne-t-il.

Tout bêtement. Le sang me monte aux éventails à mouches.

Ainsi ces Messieurs-dames vont à l'Elysée ! Ça me trouble un chouïa. Pourquoi le consul ne fait-il pas partie de la caravane ? A quel titre son secrétaire le remplace-t-il ?

Je démarre, alourdi par des tonnes et des tonnes de questions inquiétantes.

En passant devant le Pavillon Joséphine, j'avise la tronche mafflue de Bérurier. Le bonhomme est à l'affût derrière des rideaux bonne femme. J'espère que tout se passera bien pour lui. Mes copains font un drôle de déchet dans cette affaire !

A cause de la vitre de séparation, je n'entends pas ce qui se passe à l'arrière, mais grâce au Vade-rétroviseur Satanas (les meilleurs) je peux observer le couple à la dérobée.

Ces monsieur-dame ne s'adressent pas la parole. La jeune femme s'est blottie dans un angle du véhicule, le plus loin possible de son compagnon ; quant à ce dernier, un bras passé dans l'accoudoir suspendu, il est fier comme bar-tabac et jette des regards nonchalants sur les populations banlieusardes qui se pressent sur les trottoirs.

Je me farcis la Défense, puis l'Avenue de Neuilly, la Porte Maillot, l'Avenue de la Grande Armée. C'est l'Etoile, les Champs-Elysées dans toute leur gloire. Au Rond-Point je tourne à gauche pour aller chercher la rue du Faubourg Saint-Honoré (à la crème) et j'arrive en vue de l'Elysée. La guérite du président est éclairée à Jean Giono. Une foule de bagnoles à grand spectacle, bourrées de beau linge, font la queue devant la porte, téléguidées par des gardes en grande tenue. Je prends la file. Me voici entre l'ambassadeur de Cramoisie et le vice-consul de Proxénétie. On avance lentement. Enfin, je pénètre — pour la première fois de ma vie — dans la cour d'honneur. La musique militaire joue « Tiens, petit, voilà vingt sous ». Des généraux habillés en militaires accueillent les arrivants. J'aperçois sur le perron tous les représentants des corps Constipés (comme dirait Béru) : le grand Vizir de Talbonjhoûr, le cardinal Selfmademan archevêque de Boston ; l'ambassadeur de l'Abrutissan ; Son Excellence Yatamoto Quérouyé conduisant la délégation japonaise ; Monseigneur Couchetapiane, nonce apostolique, Môssieur Jules Napolitain, de l'Académie Française, l'amiral Sabordet, le baron de Maideux, le grand rabbin Dupont, le pasteur Valériradaut, M. Cash Handcarry, ministre des affaires étranges américaines, sir Prise-party, sous-ambassadeur-adjoint de Grande-Bretagne ; le président Fouinozof et la princesse Eva Donkchaitorp de Billaydou.

A mon tour, je remise ma tuture au bas des marches. Un militaire habillé en officier supérieur, délourde, salue, tend à ma passagère blonde une pogne gantée de blanc. Un garde chamarré, qui ressemble à Chamarat, me fait signe d'aller remiser mon zinzin à roulettes dans le parkinge réservé. J'obéis. Les immenses fenêtres de l'Elysée ruissellent de lumière. Il y a de la zizique partout, militaire à l'extérieur, civile à l'intérieur. Les cuivres dehors, les cordes dedans. Un de mes collègues (chauffeur) s'approche de mon tas de ferraille.

— C'est toi l'Alabanie ? me demande-t-il.

Je lui réponds qu'oui, provisoirement.

— Moi je fais le Maroc.

Chacun fait ce qu'il peut.

— Je connais la petite porte de sortie, on va aller en vider un ? propose-t-il.

— C'est pas de refus.

Nous nous éclipsons discrètement, tandis que les arrivants continuent d'arriver, la musique de musiquer et l'Elysée de répandre des joies élyséennes.

CHAPITRE XVIII

Lorsque nous avons éclusé quatre beaujolais dans un petit café de la rue d'Anjou et que mon confrère m'a refilé une bonne adresse pour boire de l'anjou rue du Beaujolais, je le quitte pour bigophoner à la maison.

C'est ma Félicie qui décroche. Elle paraît toute surexcitée.

— M. Bérurier est ici avec d'autres messieurs, m'avertit-elle. Il y en a deux pleins de sang. Je suis en train de les panser...

— Passe-moi Béru, M'man.

J'exulte. Ainsi le Gravos a réussi dans sa mission.

Son organe graisseux me fait frémir les trompes.

— Ça y est, San-A. Tu parles d'un coup de filet, mon neveu ! J'ai une nouvelle du tonnerre à t'apprendre !

— Quelle nouvelle ? croassé-je.

— J'ai retrouvé M. Morpion.

— Tu fais de l'eau, gars. Nous étions ensemble cette nuit quand...

— Mais non, il y a eu gourance sur la personne. C'est pas lui qui fait trempette dans la chaux vive, c'est le consul !

Je rugis.

— Tu dis !

— La strique vérité, mon pote. Ton prof est sain et sauf. Enfin quand je dis qu'il est sain, je charge un peu, biscotte je le trouve un peu bouffé aux mites, sans compter qu'il a subi des mauvais traitements.

J'explose.

— Mais raconte, tonnerre de Dieu !

— Ils l'ont kidnappé chez lui, comme tu avais pensé. Attends, je vais te l'appeler. C'est pas qu'il soit guilleret, mais il a tout de même la force de te causer.

— Attends, et l'autre zigoto ?

— Le gorille ? Je lui ai mis une tronche au cube vu qu'il a voulu me chercher des patins. Ta maman essaie de le rafistoler, mais faudra un drôle de petit magicien pour le recoudre car il ressemble à un tableau de Picasso.

Il crie à la cantonade :

— Hé ! M'sieur Morpion ! Venez donc causer à vot' cancre !

Je perçois la voix faible de Morpion qui explique au Gros :

— Mon bon ami, on ne doit pas dire « causer à », c'est incorrect. On parle à quelqu'un et on cause avec quelqu'un...

— Et mon c... ! objecte Béru, est-ce qui vous parle ou si y vous cause ?

Morpion s'empare de l'écouteur en soupirant.

— Mon jeune ami, murmure-t-il, la police châtie les coupables mais pas son langage !

— Hello, Prof, comment vous sentez-vous ?

— Comme un homme qui a reçu une balle dans le gras du bras et qui est resté quarante-huit heures dans un grenier, sans prendre de nourriture et ligoté avec du fil de fer. Maintenant, grâce aux soins éclairés de Madame votre mère, cela va beaucoup mieux. Je vais devoir retourner à l'hôpital, c'est un endroit qui me convient parfaitement à mon âge.

— Racontez-moi un peu ce qui s'est passé.

— Je surveillais vos lascars à la jumelle et ils s'en sont aperçus. Ils m'ont blessé. Je vous ai prévenu. Ils sont arrivés chez moi pour voir où j'en étais et m'ont forcé à les suivre. Tout cela est très banal.

Comme il y va, le pédago ! Il s'habitue à l'aventure, Morpion ! C'est devenu le capitaine Troy en personne, ma parole !

— Bérurier vient de me dire que le consul prenait un bain de chaux vive, comment le sait-il ?

— Parce que je le lui ai appris, mon jeune ami. Que je vous dise : pendant mes deux mois passés à l'hôpital, j'avais pour voisin de lit un sourd-muet. J'ai appris à lire sur les lèvres, grâce à lui. Lorsque les gens du consulat m'ont aperçu, j'étais en train d'assister à une conversation assez édifiante.

— Je vous écoute, Prof...

— Naturellement, avec l'éloignement et ma vue basse je n'ai pas pu tout comprendre. Mais dans les grandes lignes je peux vous dire ceci : ils ont tué le consul depuis chez moi. Ils préparent un attentat contre le ministre des Affaires étrangères d'U. R. S. S. et contre le chef de l'Etat. D'autre part...

Mais je ne lui laisse pas le temps de poursuivre. J'ai déjà raccroché, je cavale dans le bistrot, je saute sur le chauffeur de l'Ambassade marocaine.

— Sais-tu si l'ambassadeur d'U. R. S. S. assiste à la soirée de l'Elysée ?

— Cette c...erie ! gouaille-t-il, elle est donnée en son honneur.

Je prends un autre jeton à la caisse et je retourne au téléphone. Cette fois c'est le Vieux que je sonne.

— Quoi de neuf, San-Antonio ? Vous ne vous êtes livré à aucune initiative fâcheuse, j'espère ?

— Ecoutez-moi, tonnerre de m... ! je hurle. D'une seconde à l'autre on va assassiner le président de la République et le ministre des Affaires étrangères russe.

— Si c'est une plaisanterie, San-Antonio...

— Le drame a peut-être eu lieu à la seconde où je vous parle, Patron. Il faut donner immédiatement des ordres pour qu'on arrête en pleine réception le secrétaire du consulat, lequel représente le consul à la soirée. C'est lui qui doit perpétrer ce vilain coup. Que l'arrestation ait lieu tout de suite, vous m'entendez ? Tout de suite. Et en souplesse !

Je raccroche, épuisé, ruisselant de sueur.

— T'en as une mine, mon pote ! remarque mon « confrère » chauffeur. T'as mangé des moules pas fraîches ou quoi ?

— Servez-moi un scotch ! enjoins-je au garçon. Dans un grand verre, c'est pour un malade !

-:-

Une demi-heure plus tard, me voilà dans le poste de garde de l'Elysée. Croyez-moi si vous voudrez, comme proclame Béru, mais le Vieux s'y trouve aussi. Parfaitement, le Tondu s'est déplacé pour la circonstance, vu la gravité du cas. Tiens : il sait donc qu'il existe des rues, des arbres, d'autres gens que des poulets au garde-à-vous !

Il vient à moi, me saisit aux épaules et, théâtralement, devant toute la poulaille, me donne l'accolade.

— Le voici, messieurs, dit-il, celui qui a su éviter le désastre. Mon cher San-Antonio, je peux vous assurer d'ores et déjà que votre nomination au grade de commissaire principal ne saurait tarder. Dès demain, M. le ministre de l'Intérieur sera saisi de ma demande et...

Il est gentil de me faire la bise, le Vieux. Je lui raconte pour le calmer de quelle manière je lui ai désobéi. Ça le vexe à peine. Il a frisé la catastrophe, lui qui n'a pas un cheveu sur le dôme et il en frissonne encore.

— Regardez ce qu'on a trouvé sur lui !

Il sort un pistolet mitrailleur chargé jusqu'à la gueule avec des prunes qui guériraient la migraine d'un troupeau d'éléphants.

— Que dit Hétaurdu ?

— Rien. Et il ne parlera pas.

— Et la femme ?

— Elle est ici. C'est la femme du consul. Elle réclame son enfant. Ces terroristes l'ont kidnappé pour faire pression sur elle et l'avoir à merci.

— Rassurez-la, je sais où il est.

— Moi aussi, je sais où il est, dit sentencieusement le Dabuche.

Ne lui faisons pas perdre la face : je

retiens le rire sarcastique qui me coince les maxibules.

-:-

— Tu paies la croque ? demande Béru.

Il ajoute, un brin jaloux :

— Quand on va z'être promu commissaire principal, on peut se fendre d'un gueuleton envers un suborné.

— O.K., fils, je t'invite au restaurant alabanien de la place Péreire.

— J'en ai soupé de l'Alabanie !

— Tu en as soupé mais pas encore déjeuné, lui dis-je avec une extrême finesse car je suis dans une forme époustouflante.

Il en rit. Béru n'a pas besoin de Vermot pour se dilater la rate ; mes saillies lui suffisent.

Dans l'escalier, nous croisons le Vieux.

— Tout va bien, me dit-il, Mme la femme du consul a récupéré son hoir et va rentrer en Alabanie. La blessure du professeur Maupuy est en bonne voie et... il fait soleil. Où allez-vous ?

— Au restaurant alabanien de la place Péreire. Si le cœur vous en dit, Boss ?

— Hélas, je n'ai pas le temps.

C'est fête au village ce matin. Il y a de l'allégresse dans l'air et de la négresse sur les trottoirs de la rue Caumartin.

— Pourquoi t'est-ce que tu tiens à aller là-bas ? s'informe Béru.

Et comme je m'abstiens d'éclairer sa lanterne, il ajoute :

— A cause du décès de la gosse, hein ? Ça te tracasse, reconnais ?

— Je reconnais.

-:-

On se commande une jaffe pantagruélique. Béru prend des prépuces de crabe frits à l'ail comme entrée, de la tête d'âne gris aux haricots rouges, comme plat de résistance ; et une soupe gratinée avec du sucre en poudre pour dessert.

— Excuse-moi un moment, Bibendum, lui dis-je ; je vais me laver les pognes.

— Moi z'aussi faut que j'aille pisser ! décide-t-il.

Nous gagnons les toilettes. Béru pénètre dans les toilettes messieurs, vu que sa maman lui a fourni tous les accessoires l'autorisant à y pénétrer. Je l'attends en discutant le bout de gras avec la vestiaireuse. Elle me reconnaît et paraît gênée. C'est un petit être obscur. On se demande comment ça vit, ces trucs-là. Je la fixe intensément, et, plus je la regarde, plus elle se trouble. Plus elle se trouble, plus moi je la regarde, si bien que c'est à se demander si l'un de nous deux va pas faire explosion, comme ce pauvre caméléon qui s'était installé sur un kilt.

J'attaque enfin.

— Ça n'a pas l'air de carburer, douce amie...

— Mais, pourquoi, je...

— Si, si. Et si vous voulez le fond de ma pensée, vous avez la conscience en berne.

Son regard devient humide.

Je revois la scène de l'avant-veille (qui tombait le lendemain du jour d'avant par un hasard extraordinaire).

Tandis que j'enfilais mon imper, la gosse Yapaksa se rendait aux toilettes. A ce moment-là, la dame du vestiaire lui a dit quelque chose... Ç'a été si rapide que je n'y ai pas pris garde.

— Qu'avez-vous dit à la jeune fille ?

J'ai parlé sourdement, en fait c'est

presque à moi que j'ai posé la question. Elle pâlit.

— Mais...

— Ne cherchez pas à me pigeonner, sinon vous la sentirez passer...

— Je vous avais reconnu, dit-elle...

— Comment cela, reconnu ?

— J'ai été serveuse au café qui se trouve en face de vos locaux.

— Et alors ?

— J'ai cru que vous filiez la jeune fille. Elle venait quelquefois, nous bavardions ; elle m'était sympathique.

— Continuez...

— Je lui ai dit de prendre garde.

Je respire profondément pour stabiliser mes soufflets oppressés.

— Quelles ont été vos paroles exactes ?

— Je m'excuse, mais...

— Répétez-les, tonnerre de Dieu !

Elle bredouille :

— Je lui ai dit : « Faites attention à ce type-là, ça n'est pas du tout qui vous croyez. » Je suis navrée... Franchement, je pensais qu'elle avait fait quelque chose de répréhensible et que vous...

— Vous l'avez tuée, murmuré-je.

— Comment !

— Vous ne pouvez pas comprendre. Elle était cardiaque...

— Mais...

— Et elle savait qui j'étais. En lui affirmant que je n'étais pas cela, elle a cru que j'appartenais à la bande.

Je me tais. Pas besoin de donner d'explications à cette vieille toile d'araignée moisie. Yapaksa avait déjà eu une terrible émotion au début de l'après-midi. Lorsque cette chaussette hors d'usage lui a dit que je n'étais pas qui elle croyait, elle a cru que... Bon voilà que je me répète, excusez-moi : c'est l'émotion. Notez qu'avec un palpitant en sucre elle ne devait pas battre le record du monde détenu par Mathusalem, Yapaksa. Mais tout de même !

Un glorieux bruit de chasse d'eau ! La porte des zinzins s'ouvre. Béru surgit, détendu, sûr de lui, satisfait, conquérant.

— C'est pas que ça enrichisse, dit-il, mais ça soulage !

-:-

Tout en mastiquant, le Bonhomme me demande :

— Au fait tu as des explications sur la manière dont auquel ces sagouins s'y sont pris pour buter le consul ?

— Je les ai.

— Alors passe-moi-z'en la moitié, c'est pour faire un cataplasme à ma curiosité.

— Certains des membres du consulat faisaient partie d'un groupement extrémiste chargé de fomenter des troubles en Europe. Leurs vues : la guerre, le chaos !

— Ah, les tantes ! Alors qu'il fait si bon vivre ! meugle d'Obèse en s'étouffant avec une oreille de sa tête d'âne gris aux haricots rouges.

— Ils ont préparé leur coup savamment, de façon à faire accroire à la femme du consul et aux membres réguliers du consulat qu'il s'agissait d'un attentat extérieur. Le tueur qui a essayé de buter la môme Danlhavvi s'était introduit chez Morpion à cause de la situation géographique de son appartement qu'il savait vide...

— Et alors ?

— Il a attaché un ruban à la croisée pour indiquer à Wadonk Hétaurdu qu'il était à son poste...

— Et puis ?

— Il y avait réunion dans le burlingue du consul : Madame, le consul son époux, Wadonk et deux autres membres du personnel...

— Et puis ?

— Le tueur a bousillé le consul devant tous ces témoins. Sur-le-champ, Hétaurdu a pris l'initiative des opérations. Il a persuadé les autres qu'il ne fallait pas prévenir la police avant d'en avoir référé à la capitale alabanienne. L'événement était trop grave. Tous ont marché devant le critique de la situation. Ça a permis à Hétaurdu de prendre tout le monde en main et de s'installer au poste. Il a alors mis ses hommes aux leviers de commande, puis quand il a été maître absolu de la situation il a séquestré Mme la consule. Il en avait besoin pour la soirée d'hier. Elle devait le patronner, comprends-tu ?

— Pas étonnant, puisque c'était sa patronne ! objecte Béru.

Il me semble distrait, le Gros. Je pensais le captiver... Mais sa tronche de bourricot aux flageolets rouquinos le sollicite probable. A certaines heures de la journée, son cerveau, son cœur et son sexe se filent rancart dans son estomac.

— Ce qui a contrecarré ses plans, poursuis-je pourtant (plus à l'intention du lecteur attentif que de Béru), c'est la mitraillade du consulat, puis la mort de son tueur. Privé d'effectifs, il a dû faire appel à la main-d'œuvre étrangère. D'où cette annonce à laquelle j'ai répondu et qui, somme toute, m'a permis de...

Je plante mon couteau rageusement dans le bois de la table.

— Mais, sapristi, Béru, qu'est-ce que tu regardes au lieu de m'écouter !

— Mande pardon, réagit l'Enflure, mais il y a juste derrière toi une de ces petites rouquines que si tu la verrais tu en aurais le vertige. Je me demande si j'aurais pas une touche. Elle ne cesse pas de me regarder, la friponne.

Je file un coup de périscope sur mes arrières. Il me faut trois dixièmes de seconde pour comprendre, à moi qui pige tout si vite ! Il y a une poupée de ma connaissance à la table voisine. Et cette gosse n'est autre que la nurse du petit consul, vous savez, la ravissante demoiselle qui préfère le gigot à l'ail à la saucisse de Toulouse. J'en avale de traviole ma bouchée de Gomulka.

— Pas possible ! bouche pleine-je dis-je. C'est un drôle de phénomène le hasard, admettez !

Elle me sourit gentiment. A la voir on ne dirait pas que les hommes ne l'intéressent que lorsqu'ils portent ses bagages ou viennent réparer le robinet de sa salle de bains.

— Dans le cas présent, dit-elle, le hasard est un grand bonhomme chauve, avec la Légion d'honneur et une forêt de téléphones devant lui.

Le signalement me décroche l'aorte, me ramollit le bulbe et me stratifie la moelle épinière.

— Le Vieux, je bégaie.

— C'est lui qui m'a dit que vous déjeuniez ici.

Elle vient s'installer à notre table vu qu'elle n'a pas encore commencé de becqueter.

— Vous le connaissez donc ?

— C'EST MON PERE !

Si vous trouviez le troisième étage de la

Tour Eiffel dans votre lit au moment de vous zoner, vous ne feriez pas plus curieuse frimousse que moi en ce moment.

— Votre père !

— Tu vois bien que c'est un homme ! murmure le Gros.

Claire rit. Au fait, s'appelle-t-elle Claire ? Oui : elle confirme. Le dabe l'a mise dans la place comme nurse. Il est gonflé, pas vrai ? Il n'a pas peur de prendre des risques. Ça doit être tout de même pour cela qu'il ne voulait rien risquer.

— Je suis venue vous rejoindre afin de dissiper un malentendu, murmure Claire.

— Quel malentendu ?

— A propos de mes... heu... mœurs... Papa m'avait prévenu que vous étiez un Casanova et il m'avait dit de prendre garde à ma vertu. D'après lui, elle était plus exposée que ma vie dans cette histoire. Je lui ai juré de garder mes distances. Et j'ai trouvé ce subterfuge, vous ne m'en voulez pas.

Je secoue bêtement la tête.

— Pas du tout.

Le Gros, radieux, essuie ses lèvres graisseuses avec l'envers de sa cravate qui en a vu d'autres !

— Vous êtes plus liante que votre papa, affirme-t-il.

Mes yeux s'engloutissent dans ceux de la jeune fille. Une douce chaleur monte en moi, j'espère qu'il en va de même pour elle.

— Qu'est-ce que vous faites, cet après-midi ? Je croasse.

— La même chose que vous, coasse-t-elle.

-:-

Vous me croirez si vous voulez, mais elle a tenu parole !

FIN

ACHEVÉ D'IMPRIMER LE
31 JANVIER 1974 SUR LES
PRESSES DE L'IMPRIMERIE
BUSSIÈRE, SAINT-AMAND (CHER)

— N° d'impression. : 1251. —
Dépôt légal : 3e trimestre 1974.

Imprimé en France

PUBLICATION MENSUELLE